考古学者が
発掘調査をしていたら、
怖い目にあった話

考古学者が
発掘調査をしていたら、
怖い目にあった話

ポプラ社

装画　北澤平祐
装丁・本文デザイン　吉岡秀典
＋飯村大樹（セプテンバーカウボーイ）
校正　円水社

はじめに

「考古学の調査って、けっこう命がけなんですね」。打合せの場でポプラ社の編集者からこぼれ出た言葉にハッとした。自分ではわりと慎重派だと思っていたが、振り返ってみると、我々はけっこう危ない橋を渡ってきたのかもしれない。

特に海外地域を専門としている場合、考古学者として発掘等の調査に携わることのできる職は、大学教員や一部の博物館員・研究所員などに限られている。非常に狭き門だ。だから若いころはこの業界で生き残るのに必死で、いつの間にやら危険な冒険にも足を踏み入れてしまったのだろう。

一方で、我々は自分から冒険を求めていたふしもある。本書の執筆者三名にはひとまわりほどの年齢差があるのだが、それでも皆、少年期から青年期にかけて豊かだった頃の日本を経験している。あの頃の恵まれた「終わりなき日常」の閉塞感は、安心・安定よりも、冒険への憧れを育んだように思う。それが良いか悪いかは別として。

　本書は考古学者たちによる冒険譚のようなものだ。といっても、もちろん「インディ・ジョーンズ」のような冒険活劇ではなく、研究上のアカデミックな冒険というわけでもない。我々が海外の考古学調査を行う中で体験した、日々の恐怖・驚愕・奇々怪々の類であり、扱う素材は生身の人間から死臭残るミイラや人骨まで、珍奇な飲食から悩ましい排泄まで、さらには犯罪、自然現象、超自然現象(?)などと多岐にわたる。また我々は調査地に対する人一倍の知識と思い入れを持っているから、本書にはエジプト、シリア、中国、ペルーの、現代と古代に関するうんちくが、各国への屈折した深い愛とともにちりばめられている。気になったところからつまみ食い的に読める構成だから、必ずしもページ順に読まなくて大丈夫。

　ところで冒険譚というものは、無事帰還した者、つまり冒険の成功者によって語られるものだ。道半ばにして倒れた者は語るすべを持たないし、帰還者も自分に都合の悪い話には触れない。ここに並んだ三大陸の様々な「怖い目にあった話」は、もちろん我々が十分に肝を冷やした実話だし、読者のみなさんを驚かせる内容もあるだろう。しかし、たぶん我々にとっての一番怖い経験ではないはずだ。そういう話はまず書きたくないものだし、場合によっては書けない、書いてはいけない、墓場まで持っていくべき何かを含んでいるように思う。私の場合も、どうしても書けなかった話が一つ二つある。読者のみなさまにおかれましては、我々が経験した最も「怖い」事を、本書の様々なエピソードから想像していただければ幸いです。

芝田幸一郎

目次

はじめに　3

怖い目にあった話1

エジプト・シリアの発掘調査

大城道則

パルミラ遺跡の三体のミイラ　16

古代の建造物／宿舎は神殿／人骨は苦手／三人兄弟の墓

地下墓の人骨と二週間過ごす　26

クリーニング作業／発掘調査中のウイルス感染／墓へ入る理想の体格／骨フェチ

知らぬ間にカルロスと入れ替わっていた　36
偉大な先輩方／テロリストの仕業

生贄のヒツジをさばく　41
発掘前の儀式／生贄の肉を食す

ヒツジの生肉と目玉と脳みそ　49
発掘調査中のコミュニケーション／グロテスクな食事

一年越しで砂漠に届いた
ハム・ソーセージ詰め合わせ　56
一年後に届いた小包／現地の文化、宗教は事前に学ぶべし／開封された手紙

砂漠から地中海までカツオを買いに行く　64
鮮魚購入の命を受けた遊撃隊／一番怖い話

ホテルの部屋のトイレを詰まらせる 71
海外のトイレ事情／嗅覚が悲鳴をあげる
飛行機の中でアヴェ・マリアが流れる 76
真夏の寒暖差／揺れる世界の惨劇
30年ぶりの大嵐が砂漠にやって来た 85
雨が降らない国／自然の脅威
サハラ砂漠で遭難しかける 91
古代人の声に誘われて／忠告には耳を貸すべき
エジプト・シリア編 99
1日の発掘スケジュール

怖い目にあった話2

中国の発掘調査

角道亮介

墓の中に閉じこめられた話 105
中国語に悪戦苦闘／有名なボロ学生寮／謎の電話／実現不可能なミッション

空を飛ぶものは飛行機以外、四本足のものはテーブル以外 117
果敢なる挑戦／麺の科挙試験／強烈な珍味

恐怖のトイレ事情 128
トイレと考古学／恐怖の留学生宿舎トイレ／恐怖の低い壁／恐怖の現場便所／恐怖の豚便所／恐怖の溝便所

1日の発掘スケジュール 中国編 143

怖い目にあった話3

ペルーの発掘調査

芝田幸一郎

性欲こわい　149

性愛と穴掘り／溜めすぎた男／聞かれてはいけない音

山村のお祭りであわや乱闘――酒とダンスと回し蹴り　157

酒の逆襲／発掘生活のストレス／ペルー考古学者の必修科目／糞チーノどものハッタリ演武

発掘で出会ったペルーの驚くべき食文化　167

ごちそうを飼う／イグアナのしっぽ／ペルーのコーヒー文化／ムイムイ／闘鶏料理とペルーの歴史／トウガラシは四回ひりひりさせる

のんびり屋のヒッチハイク強盗――考古学者が遭遇する犯罪 180
犯罪への警戒／都会と田舎の犯罪／予見された強盗

副隊長は魔女――でも憑りつかれ、お祓いされる 190
二代目副隊長のこと／魔女たちも憑りつかれる

発掘調査を始めるまでの手続き――慢心したら調査期間が半分に 195
百ページを超える申請書／発掘が開始できない／原因は土地ころがし／短期集中・一点集中で起死回生

政治もこわい――考古学者の派閥と下剋上 200
政治には関わりたくないけれど／はじまりは怪文書／何が何でも緊急発掘したい／弁護士は弁護士会に入らねば仕事ができぬ。考古学者も……／「考古学者会」本部／文化庁長官の意見／ダース・ベイダーの意見／ペルー人考古学者のキャリアパス／名もなき考古学者たちのルサンチマン／外国人考古学者排斥？／入会とその成果、そして政治の揺り戻し

どろぼうの町で旋盤工を探せ 218
測量も考古学者の仕事／規格を間違える／旋盤工を探せ／マエストロの腕前

遺跡が怖くなるとき 227
ペルーの海岸砂漠と人骨／重苦しい遺跡とパガプー／名もなき古代墓地遺跡、病気と事故の連鎖／後日譚

1日の発掘スケジュール ペルー編 239

おわりに ―― 三大陸周掘り記 241

怖い目にあった話1

エジプト・シリアの発掘調査

大城道則

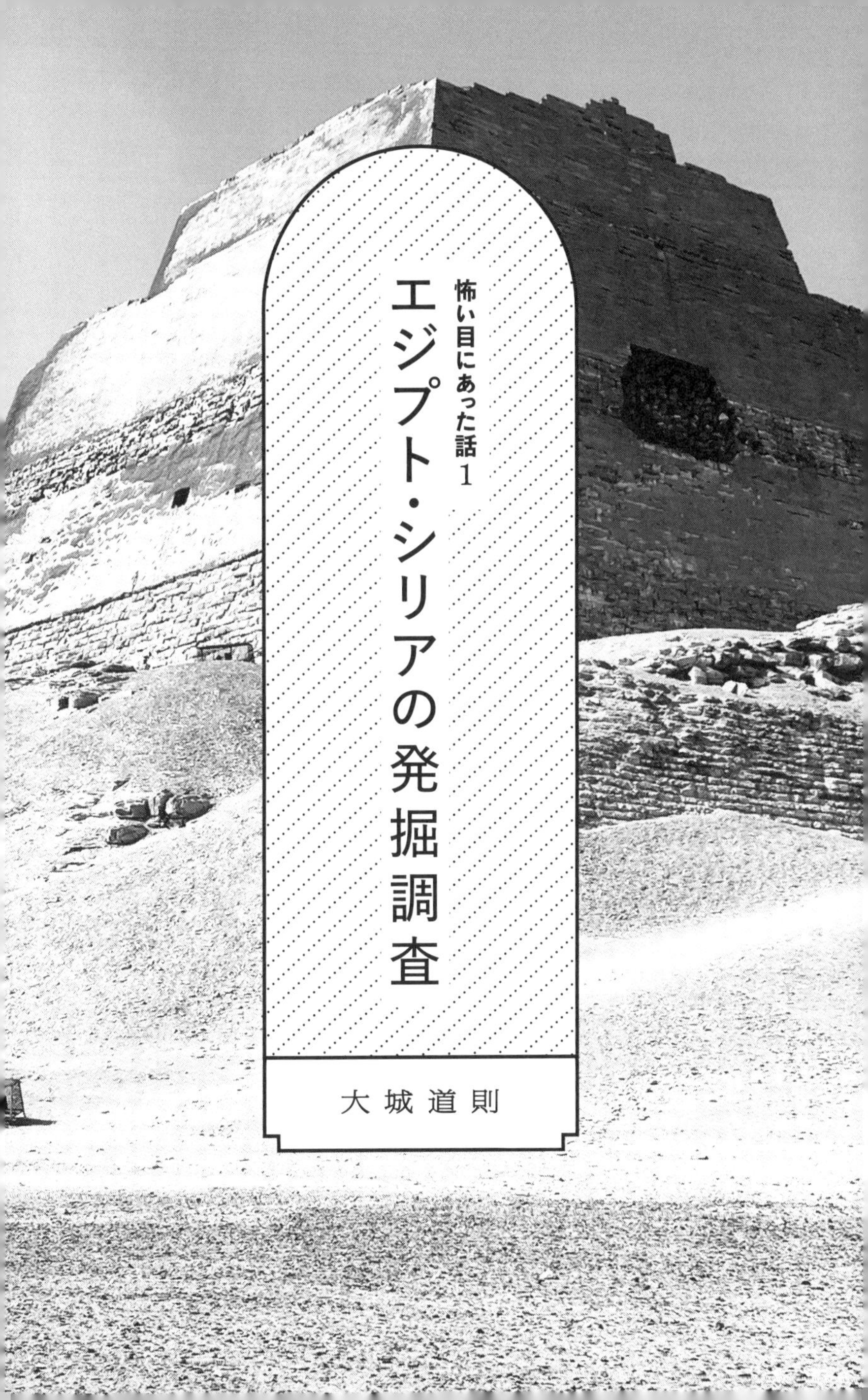

このような仕事をしていると必ず訊かれる質問がある。

それは「どうして古代エジプト史を研究しようと思ったのですか?」と「どうして考古学者になろうと思ったのですか?」というものだ。これまでことあるごとに何百回と問われた。そのような質問に対しては、「世界中の誰もが見たことのないものを見てみたいから」とか、「世界中の誰もが解けない謎を解いてみたい」とか、答えることが多い。半分は真実だ。女優志望の少女や医師を目指すという少年に同じような質問をすると返って来る「人を感動させる女優の仕事に憧れる」とか、「お医者さんのように人の役に立つ仕事がしたい」という通り一遍なものと何ら変わりない。そしてそのほとんどは理想ではあるが、本心とは少々違うはずだ。なんやかんや言っても、結局は「自分がカッコいいと思う仕事に就きたい」のだ。でもそれが一番大事なことだと思う。ゲスなことでも何でもない。だから私は「カッコいい生き方」をしたくて、考古学者なり、歴史学者なり、エジプト学者なり、大学教授を目指した。もう一つの理由は大学の教員は休みが多いことだ。夏休み、冬休み、春休みがある(もちろん現実は厳しく、入試業務もあれば受験生獲得のための営業もあるし、本を書く時間に当てたりしている。本書もその類だ）。これもまた真実であり真理だ。私は常に正直な人間でありたい。

これまでシリア、イタリア、そしてエジプトと三カ国で発掘調査に従事してきた（日本を含めれば四カ国だ）。岩絵の遺跡調査を含めるならば、もう一カ国追加されるかもしれない。エジプトの西方砂漠だけでなく、リビアのサハラ砂漠にも二度突入した経験がある。一週間砂漠で野宿しての調査や、サハラ砂漠を4WD車で爆走……。すべての国での調査に思い出がある。良い思い出も辛い思い出もだ。ただどれもこれも現在の研究者生活に役立っているものばかりだ。だからこれだけは言っておきたい。語学力が未熟でも、専門知識が不足していても、現地に自分の身を置かねば何も始まらない。あなたにもフィールドに出て、誰かに話したくなるような素敵な体験や怖い体験をして欲しい。ただここで述べる怖い話とは、恐怖体験ではなく、少し不思議な、ちょっと謎めいたお話というものである。今回本書に収録したエピソードの中には、25年以上も昔の話もあり、なおかつ私の記憶もかなり曖昧になってしまっている点をご了承いただきたい。勘違いや思い違いもあるはずだ。でもそれもまた良いのではないかと思う。

パルミラ遺跡の三体のミイラ

古代の建造物

シリアのダマスカス国際空港に降り立ち、4WD車に乗り込み、そのまま三時間ほど緑のまったくない土漠の中の一本道をひたすら真っすぐに走ると、突然シリア砂漠の真ん中に町が現れる。現在はタドモル、昔はパルミラと呼ばれていた場所だ。シルクロードの拠点の一つとして発展し、弓で武装した独自の騎兵隊を擁し、古代ローマ帝国と互角に渡り合うほど繁栄したオアシス都市である。世界文化遺産として、あるいはかの古代エジプト王国の女王クレオパトラの末裔だと自称したとされる男装の女王ゼノビアで有名だが、最盛期にはエジプトをも一時期支配するほどの強国であったことはあまり知られていない。車で町に近づくにつれて崩れかけの塔墓（パルミラ特有のタワー型の集合墓）や家屋墓（家屋の形をした墓）が点々と視界に入って来る。「またここにやって来た」と思う。道路上に設けられた現在の人々が暮らす町と外部との境界である警察小屋の前を抜ける。遺跡を横目に少し走るとその先にバス停があり、バス停の前の道路を渡ったところにパルミラ博物館がある。

町に隣接する広大な遺跡の中心に紀元後32年に再建されたベル神殿（写真1）があり（いわゆるイスラム国によって2015年に残念ながら破壊されたが……）、その面前にはエフカの泉という古代にも有名であった温泉が湧きだしていた（農業用地下水のくみ上げ過ぎで二十数年前に枯れてしまったが）。

そこから遺跡へと目を転ずるとローマ時代に建造された列柱路が延び（写真2）、振り返ると遠くにアラブ城を仰ぎ見ることができる。

アラブ城の頂上から見る夕日は絶景であることから、夕方には世界各地から訪れた観光客で溢れかえる。パルミラはまだ私が大学院生だった1990年代半ばから数シーズン、奈良パルミラ遺跡学術調査団および奈良県立橿原考古学研究所のパルミラ調査団の一員と

写真1　ありし日のパルミラ遺跡のベル神殿

して発掘調査に参加させていただいた、私の海外発掘調査の原点の遺跡だ。多くの思い出と感謝しても し切れないほどの思いがこの場所には詰まっている。

宿舎は神殿

考古学者たちの宿舎は、ベル神殿の境内の一角にあった。ローマ時代の遺跡の中で暮らすのは夢のような体験だった。日本隊だけではなく、ポーランドやフランスをはじめ世界中の調査隊が一緒にそこに同居する。国際的な雰囲気だ。若い大学院生にとって日々刺激しかなかった。神殿の一部に暮らしながら発掘するという経験はそうできるものではない。夕方になり、パルミラの主要な観光スポットである遺跡が閉じられ、観光客がいなくなった頃を見計らってよく神殿内を一人で散歩した。長期の共同生活のなかで、ストレスを軽減するために一人きりの

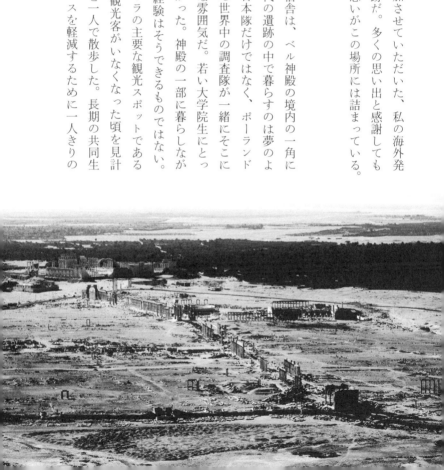

写真② パルミラ遺跡全景

時間は大切だ。夕食の時間まで巨大な円柱（一部の花崗岩製の円柱はエジプトのアスワンから遠路はるばるもたらされた）に座って過ごしたり、神殿の片隅にポツンとある電話ボックスから日本へと国際電話のダイヤルを回したりしたことを思い出す。もう今はあの懐かしい電話ボックスもないのであろう。

　発掘調査は早朝六時くらいには始まる。それは高い気温と強い日差しのせいだ。夏のシリア砂漠の気温は容易に三十五度を超える（最高気温が四十八度を超えた年もある。ただ冬は寒いので一年の平均気温としては、二十度を下回る）が、体感気温は明らかにそれ以上だ。まだ夜明け前の暗いうちに早起きして、食堂で朝ごはんを済ませ、発掘に必要な道具を車に積み込み、そのまま現場に向かうべく宿舎を出立する。ナツメヤシの林を抜けて、日の出前に発掘現場に到着することもしばしばだ。車窓から右腕を出していると肌寒さを感じるが、それもすぐに汗へと変わる。太陽が地平線から顔を出したのだ。そしてその汗は肌を伝わり、流れ出す前にすぐ蒸発してしまう。ゆえに不快さは残らない。日本のような湿気の多い国では考えられないことだ。シリアやエジプトのような乾燥した気候の国では、直射日光さえ浴びなければ意外なほど快適に過ごせるのである。涼しいとさえ感じることがある。日中でも水を頭から浴びたまま外にいると気化熱で体温を奪われ、寒いくらいの感覚に襲われるほどだ。もうあれから30年近くが経過しようとしている。これは私が大学院生時代に発掘調査に参加したときの話である。

人骨は苦手

ある夏の発掘シーズンに、ローマ時代に造られた地下墓の土と砂を手ガリ（遺構の検出に使う。木の柄に、二等辺三角形の刃が差し込まれた道具）と手スコ（移植ゴテ）を使って地下墓の壁際の床上を掘っていた。その日、他の隊員たちは近くにある他の地下墓の調査に掛かりっきりで、私の担当している墓には私しかいなかった。本来一人でいることが好きな私は久しぶりにやって来た孤独な時間を満喫していた。この世界的に知られた遺跡を独り占めしている気分だった。午前中の作業では何も進展はなかった。発掘は同じ手順を何度も繰り返すので、退屈との戦いでもある。映画のように金銀財宝が出てくることは滅多にない（でもたまにあるから、やめられないのだが……）。午前中の発掘が終了し、車で宿舎に戻り、砂を落とすためにシャワーを浴びた後、食堂でみんなと一緒に昼食を食べた。食事はシリア人の宿舎管理人兼料理係のホセインさんが毎回用意してくれる。その後、夕方までは昼寝の時間だ。二時間ほど仮眠する。体力がすべての海外発掘である。健康第一。寝ないといけない。体を休めるのも発掘調査の重要なポイントだ。病気になったり、怪我をしたりすると調査隊の足を引っ張ってしまうからだ。

夕方、太陽が西へと少し傾き、日差しが弱まった頃を見計らって、続きの作業をするために現場に向かう。墓は地下墓であるため地上から斜めに延びる階段を降りて、入り口である扉部分を通り、中に入る。古代の人々も同じ手順で祖先のお墓参りをしたのであろう。その証拠に墓の床面からは素焼きのランプや水を入れる水盤が発見されている。すでに天井は落ちて太陽光が上から注ぎ込んでいるので地下墓とはいえ明るい。午後四時を過ぎているがまだ日差しはきつい。地上から4メートルほど下にある床面で発掘作業を再開する。本当は音楽をかけたりしてやりたいのだが、そしてその方が絶対に作業ははかどると思うのだが、下っ端の大学院生にはそんなことを言う資格はない。考古学は体育会系の部活と同様にパワハラすれすれの完全なる縦社会である（令和に入った今は知らないが……）。午後の作業を開始してすぐに、土の中に白いものが混じっていることに気づいた。骨だ。しかも地下墓の壁際、その壁には納体室が幾つも碁盤の目のように並んでいる状況を考慮すれば、人骨であることは間違いない。そんなことはシャーロック・ホームズやブラウン神父のような名探偵でなくともすぐわかる。ため息が出る。地上を見上げ、誰にも見られていないことがわかったので、即埋め戻したい衝動に駆られたが、自分の置かれた立場をわきまえ、そろりそろりと骨の輪郭を出す作業に専念することに決めた。

どうも骨は苦手だ。特に人骨は。日本の発掘現場で江戸時代の棺桶を発掘したときほどではないが（その際は臭いがきつかった）、人骨の発掘はやはり気分が滅入るものだ。古いとはいえ正真正銘人間の死体なので……。手スコで丁寧に土を外し、手ガリで砂を少しずつ除けていくと予想通りその下から真っ白い人骨が現れた。やっぱりね。まだ体のどの部分かはわからない。ここからは竹串や竹べらと刷毛を使う。たとえ日本で出土する湿った土をねっとりとまとう骨とは異なり、乾燥して硬くなった骨であっても繊細な作業が要求される。そのため発掘現場では、骨よりも固くて柔軟な竹製の道具は極めて有効な道具なのである。竹串や竹べらは百均などで購入したもので十分だ。竹製道具の先を使って骨の周りの土を弾いて剥がす作業はとても繊細な動きが求められる。このような手先の器用さが要求されるのが考古学でもある。その意味でも考古学は日本人の気質に合っている。

竹べらで骨の輪郭を出しつつ、刷毛でホコリのような砂を取り除き、少しずつ白い骨の姿を追いかける。結構太い。少なくとも指ではなさそうだ。大人の骨であろう。二時間ほど格闘した結果、どうやら足、それも大腿骨《だいたいこつ》らしいことがわかってきた。そこで本日は時間切れとなった。続きは明日だ。明日は朝から人骨と二人きりの時間を過ごさねばならない。宿舎に戻ってから人間の骨格名称が書かれた図を眺める。やはり大腿骨のような気がする。誰かに聞きに行こうかなと思ったが、みんな個々の仕事で忙しそうだし、明日全身を出してからでも遅くはないかなと思いその夜は早めに寝た。

三人兄弟の墓

翌朝は朝から気温が高くやけに暑かった。大変な一日になりそうな予感がした。しかしやることはわかっている。お昼までに大方終わらせてしまいたい。作業は今日も一人だ。他の墓の調査の方が佳境に入っていて、私のいる墓が見るからにたいしたことないものだからだ。現場に到着すると一人だけ違う方向に歩きだす。後ろから「今日はこっちの現場に来るか？」と隊長から声が掛かるが、「いえいえ大丈夫です。気にしないで下さい。ありがとうございます」と言って、そそくさと逃げるように自分の持ち場に入った。昨日の続きが待っている。

もちろん現場は昨日の帰りにシートを掛けたままだ。まずシートを片付ける。骨は見えているが、そして大腿骨であろうと推測しているが、上下の配置がまだわからない。いったいどっちが頭部だ？　とりあえず壁に向かって骨を検出して行くことに決めた。三十分もしないうちにすぐ傍から違う骨が出てきた。どうやら坐骨《ざこつ》のようだ。ということは骨盤？　そこからは真横に進んだ。もちろん竹べらと手スコを駆使して。坐骨の次には恥骨《ちこつ》があるはずだ。恥骨はそこから年齢や出産の有無が判明することから、何より重要だと形質人類学の先生に聞いていたので後回しにする。まずは足の方から始めよう。下半身から上半身という手順で掘ることに決める。表面の土を少し剝ぐと膝蓋骨《しつがいこつ》が見えてきた。その下には脛骨《けいこつ》と腓骨《ひこつ》が並んでいた。最後に足の指の骨がバラバラと出てきた。続いて上半身に取り掛かる。すぐに腕の骨と手の指の骨が現れた。全体像がイメージできたので、そこからはガツガツと掘り進めた。肋骨《ろっこつ》と背骨《せぼね》、そしてついに頭蓋骨《ずがいこつ》の登場だ。首の骨から少し離れているようだ。偶然か？　いずれにせよ、一仕事終えた。骨自体は脆《もろ》かったが、ほぼ完形の全身骨格が目の前に出現したのだ。しかしそれと同時に今掘り出した人骨の向かってすぐ右側に新たな骨が顔を覗かせていることに気づいてしまった。やれやれである。もう一体ありそうだ。まあ時間はまだまだある。もう一体やっつけよう。

二時間くらい経った頃、背恰好がほぼ同じ人骨が出てきた。兄弟なのか、親子なのか、夫婦なのか、それとも双子なのか？　これだけでは判断がつかないなと思案していると、二体目の人骨の横にもう一つ新たな人骨が見えたのである。ええ、三つ子か？　思わず見なかったことにしようかと本気で思ったが、そういうわけにもいかないので諦めて掘り進めた。こんな砂漠の真ん中の墓の中で考えても仕方がない。考えるだけ無駄だ。発掘マシーンと化し、機械的に骨を出していく。同じ背恰好の人骨が綺麗に並んで三体現れた。

パルミラ遺跡には、観光客にも人気の「三人兄弟の墓」という名所がある。これもまた地下墓で美しい壁画が内壁に描かれているのだ（壁画は球の上に立つ女神によって掲げられた被葬者の顔とその上のスペースに娘たちに囲まれたアキレウスが描かれている）。「三人」という共通点に何らかの意味があるのかもしれないなと考えながら眺めているうちに気づいた。三体とも胴体から首が離れているのだ。直感的に人為的な気がした。首を意図的に切断されたのであろうか。古代の墓では死者の蘇りを防ぐために遺体の上に重い石を置いたり、手足を縛ったり、わざと身体に損傷を与えることがある。それと同じ意味があるのかもしれない。死者が生前強力なパワーを持っていた王やシャーマンであった場合にそれは顕著だ。今、目の前にある例も同じなのか。ちょっと嫌なものを目にした気がした。

その夜珍しく夢を見た。私はあまり夢を見ない体質なのだが……。夢の中で私は戦場にいた（ような気がする）。阿鼻叫喚の中、多くの人たちが逃げ惑いながらこちらに向かって走って来る。実際には耳に音は聞こえてこないのだが、不思議と身体に声を感じる。声の先には人がいた。走っていた。何者かに追われているのだ。何者なのかは暗くてよくわからない。闇の中を人々が通り過ぎた後、さらに三人の男の姿が目に入ってきた。三人とも何者かから逃れようと後ろを何度も振り向きつつ必死に走っていた。私はなす術もなく少し離れた場所からその光景を眺めているだけだった。するとローマ兵が使うグラディウス（先端が鋭角になった刃渡り50センチメートルほどの刀剣）がとうとう彼らを捉えた。一閃！　それは一瞬の出来事であった。三人が崩れ落ちる際、私は彼らの前に立っていた。なぜだか気づかないうちに移動していたのだ。２メートルほどの距離で目にした彼らの苦悶の表情は今でも忘れることができない。彼らの目にも私の姿は映ったのであろうか。

その後、グラディウスによって彼らの首がはねられたのかどうかは知らない。なぜなら突然耳の近くで鳴り出した目覚まし時計のアラームに叩き起こされたからだ。窓からのぞく外はまだ暗かった。すぐに夢だと気づいたが、あまりにもリアルであったのでまだ声が耳に、臭いも鼻に残っている感覚が抜けていなかった。その後、イタリアやエジプトでも発掘調査を経験したが、後にも先にもあのような不思議な体験をしたことはない。

地下墓の人骨と二週間過ごす

クリーニング作業

20世紀もそろそろ終わろうとしていたある発掘シーズンに、地下墓の納体室の中に一人で潜り込み、人骨と副葬品を実測する作業をしたことがある。横穴式になった直方体の空間を壁に幾つも積み重ねたような感じの場所である。石灰岩の板を上下左右組み合わせて空間を作り出しているのだ。ホームセンターなどで売っている収納棚のような形で奥行きが2メートルくらいあるものを想像していただければ良いと思う。

そのような形状の納体室を備えた共同墓地は、パルミラだけではなく、古代ギリシア・ローマ世界の各地に造られた。エジプトのアレクサンドリアにも観光客に大人気のコム・エル＝

シュカファがあるし、世界遺産でもあるキプロスのパフォスにある「王の墓」と呼ばれる共同墓地（写真③）もよく知られた存在だ。

ローマやパリにあるカタコンベ（地下埋葬施設）のようなものをイメージしてもらえれば良いであろうか。その中にミイラ化した遺体を幾つも安置するのだ。その際、ガラス製品や貝殻、あるいは貴金属などの副葬品も一緒に入れられることがある。ただ未盗掘の場所からは副葬品の出土も期待できるが、シリアのパルミラではエジプトのように豪華なものはまず出て来ない。それは墓の主たちが王や貴族ではないからだ。

パルミラはシルクロード交易の際の関税搾取で栄えた国であり、墓に葬られた被葬者の多くは裕福な商人たちであった。彼ら商人は、

写真③　パフォスにある「王の墓」内部の納体室

シルクロードを東西に行き交うラクダの隊商と商いを行い、莫大な富を築いたのである。副葬品が質素なのは、当時の商人たちが現世志向であり、来世に財産を持って行っても仕方がないと考えていたからであろうと思われているが、現代の考古学者に対してもう少し気を使ってキラキラしたものを幾つか残しておいて欲しかった。やっぱり考古学者である以上、誰もが驚くような金銀財宝を発見してみたいではないか！　私は常に自分の心に正直でありたい。

その日も暑かった。そして晴天だ。毎日晴天だ。気象予報士もお天気女子アナも砂漠には必要ない。現場に着くと簡単に土を削り取って作っただけの地下墓の階段を駆け下りて行く。地上は至る所に日光が照りつけ逃げ場がないが、地下墓は早朝、日陰になる箇所が多いからだ。逃げるようにそこに向かう。連日きつい太陽光を肌に浴びていると軽いやけどのような症状になってしまう。たとえ日本から持参したＵＶカットとかＳＰＦ50＋の日焼け止めを塗っていてもである。

今日の持ち場である納体室の前に立つ。ここに何人が埋葬されているのかと想像してみる。縦三列、横四列なので、見た目は十二個のボックスが並んでいるような状態だ。向かって左端から二番目の列で、四段に重ねられた直方体の箱の下から二段目の場所（つまりほぼ真ん中）が本日からのターゲットだ。本来ははめ込まれていたであろう石灰岩製の石板でできた蓋の部分はすでに誰かによって外されてある（蓋の部分は表面にまるで彫像のごとく三次元で人物像が描かれていることから、美術品としての価値も高く、しばしば盗掘に遭うのだ。学術的には被葬者を描いたとされている点も重要だ）。そのため中の方は外から途中まで目視できる。奥の方は暗くて見通せない。中は半分くらいが砂で埋まった状態だ。第一段階として砂を取り出さないといけない。クリーニング作業だ。途中で副葬品や人骨が出てくれば、写真を撮り、実測する。そしてそれが終了したら遺物を取り上げ、諸情報（日時場所など）を記入したラベルを添えて倉庫に運び込むのだ。後から流れ込んだ砂や滅多にないが大雨の水で遺物が浮き上がってしまっていれば、手間が一つずつ増えていくということだ。

上半身を九十度曲げて納体室に体を突っ込みながら砂を取り出し、クリーニング作業を続けた。石灰岩製の底板がしっかりと残っていたこともあり、人骨とガラス製品がその石板の底にへばり付くようにほぼ原位置で残っていた。ガラス製品は長期間砂に埋もれていたために銀化（古代ローマ時代のガラス製品にしばしば見られるような、土の中で化学変化を起こし虹色に輝く現象のこと）していた。銀化したガラスはいつ見ても美しい。ただ残念なことに本来の形がわからないほど激しく劣化していた。それに比べ人骨は保存状態が良好だ。まだ足元しか十分には見えていないが、全身の骨が綺麗に残っていそうである。

発掘調査中のウイルス感染

私の本務校である駒澤大学の授業やカルチャーセンターなどの講演でミイラや人骨の話をすると、受講生に必ず質問されることがある。それは細菌やウィルスは大丈夫なのかというものだ。昨今の新型コロナウィルス流行以前からこの手の質問は多かった。1922年にハワード・カーターとカーナーヴォン卿が発見した有名なツタンカーメン王墓発掘の関係者たちが次々と変死したという、いわゆる「ファラオの呪い」にも細菌説が囁かれているほどだ。断言はできないところはあるのだが、少なくとも考古学者が古代から生き残った細菌に感染して死んだという話を私は知らない。日本の幕末くらいのお墓にならコレラや天然痘の菌が残っている可能性もあるのかもしれないが、これも実例を聞いたことがない（ご存じの方がいればポプラ社までご一報を）。

近い実例としては、地下を発掘した際にコウモリの糞の吸い過ぎで一か月熱が下がらずに寝込んだという考古学者の話や目から白い涙が流れるエジプトの風土病に罹ったという科学者の話は聞いたことがある。常識的に考えれば、私が調査に行くような砂漠地域は極度に乾燥しているので、そもそもウィルスが蔓延しにくいはずだ。

現場では怪我の方が怖い。破傷風の原因となるからだ。私もよく遺跡を歩いていたりして頭や足を石の壁などにぶつける。木材ではなく石材を使用して墓が造られているので注意が必要なのである。海外の発掘現場では必ず、帽子を被り行動することをお勧めする。またヘビやサソリ、あるいはハチにも用心すべきである。現場でサソリとハチに刺された人を見たことがある。サソリの場合には、刺された人が自分のナイフで患部を切り開き毒を吸い出した。ハチの場合はそれほど大袈裟ではないが、それでも大きく腫れあがってはいた。両者とも命に係わるような問題ではないのであるが、本当に痛そうだった。アナフィラキシーショックの心配もあるし……。だから長袖シャツとハイカットの靴も発掘の必需品だ。意外と日本から持参する荷物は多いのである。

墓へ入る理想の体格

次の日から実測を始めた。実測とは、正確な情報・寸法を図面に描く作業である。写実主義の画家のように描く必要はないのであるが、絵心はあった方がベターだ。方眼紙とそれを挟む画板、筆記用具、そして長さを測るメジャーが必需品だ。

現場に着いて最初にすべきことは手足の筋を伸ばす軽いストレッチだ。縦横50センチメートル程の四角い枠の中に自分の体を押し込み、クリーニングや写真撮影、そして実測を行う必要があるからだ。柔軟性が何より大切となる。そして身長体重が大きな問題となる。発掘作業にでかい人物は向かないのだ。当時の私の体重は55キログラム、身長は165センチメートルだったので納体室に入り込むには理想的な体格だった（ちなみに2023年6月現在は体重60キログラムで、身長は163センチメートル。ああ、あの頃に戻りたい。しかしなぜ身長は加齢とともに縮むのか？）。

しかし「墓に入るのに理想的」とは何て縁起が悪い話だ。そこのところの詳細は後ほど話すとして、話を先に進めよう。入り口から奥に向かって少しずつ骨と副葬品を検出していく。最初は上半身を中に入れれば作業ができたが、三分の一くらい進めた辺りで限界となった。手はまだ先まで届きそうだが奥の方が暗くて見えない。この後は全身丸ごと納体室に潜り込むしかない。完全に自ら納体室に入ってしまうのだ。ここで「理想的な体格」が威力を発揮するのである。体重が重いと底板を割ってしまい、下の納体室に人骨ともども落下する。これでは調査も何もあったものではないし、副葬品や人骨を破壊し、目も当てられないことになる。当時の私は体重も軽く細身で、しかも運動神経はすこぶる良かったので、落下する心配もなく軽々と中に入り込み作業できた。ただ乾燥しているとはいえ、狭い空間だったので蒸し暑さには辟易した。流れ落ちてくる汗を押さえるために久しぶりにタオルを鉢巻状にして頭に巻いた。ここからは根気のいる仕事となる。四つんばいになったり、腹ばいになったりしての作業だ。考古学は体力と忍耐だ。一日かけてようやくターゲットの下半身のクリーニングは済ませた。明日は上半身に取り掛かる予定だ。

翌朝も当たり前だが快晴だった。気温も高い。本日中に切りの良いところまで済ませておかねばならない。なぜなら明日は金曜日で休日だからだ。イスラムの休日は金曜日なのである。しかし、あと四分の一ほど、鎖骨から少し上辺りでとうとう体に限界がきた。疲労ではなく、納体室が狭くてどう体をねじっても曲げても中で作業ができなくなってしまったのだ。あと少しで奥まで手が届くのに！　そうできれば今日の作業は終わったも同然なのに！　ここに来るまでに身長をあと10センチメートル縮めておくべきだった！　さて次の一手を考えねばならなくなった。そこで脚立を持ってきて、一段上に当たる下から三段目がどうなっているのかを確認した。すると幸いなことに上の段は未使用であった。薄く砂は積もっているものの副葬品も人骨も何もない。これは幸運だ。脚立で上まで上がり腹ばいになり匍匐《ほふく》前進《ぜんしん》でゆっくりと中に入り込むと、一番奥の底板がかなりずれていた。隙間から下をのぞき見ると、先ほどまで作業をしていた場所にある頭蓋骨の一部が目に飛び込んできた。ここからなら手を伸ばせばクリーニングも可能だし、外から差し込む太陽の光もわずかではあるが中まで届く。十分に図面が描けそうだ。問題は寝そべりながら、メジャーで骨の大きさを正確に計測したり、壁からの距離を測ったりができるかどうかである。かなり背筋を酷使することになりそうだ。そして事実そうなった。この日から二週間、この人骨と向かい合わせで対面し続ける日々が始まったのである。

人骨の上半身のクリーニングは大変だった。手首から先しか自由が利かないからだ。そこで人骨を検出するのに長めの筆を使用した。小学校の図画工作で水彩画を描く際に使うようなやつだ。遠くまで届くし、軽いのでこれは重宝した。しかし作業は遅々として進まない。通常の三倍くらいの時間は掛かってしまったであろうか。手首が筋肉痛となり、指先が攣《つ》りそうになった。さらにホコリが酷いのでマスクをしながらの作業となったこともあり、湿気と息苦しさで何度も意識を失いそうになってしまった。ただ実測対象である人骨と平行に自らの体を横たえ、対面で上から下を見ながら実測するという経験は初めてであり、このアクロバティックな状況を妙に楽しんで受け入れている自分には驚かされた。静かだったし、集中力も持続できた（誰にも見られずに十五分くらい仮眠することもできたし……）。これは納体室の中が外の音を遮断し、ほぼ防音状態であったことが理由であろう。逃げ場のない完全なる金網デスマッチ的な、遺体との一対一での対決だった。

骨フェチ

一週間ほど掛けて副葬品を含め人骨の大部分の実測を終えた。最後に肋骨よりも上の部分に取り掛かった。ここでこれまでに経験したことがない奇妙な感覚に襲われた。白い鎖骨の部分が妙に色っぽく見えてきたのだ。そしてそこからややねじれるようにして、頭蓋骨へと続く白いヘビのような長い首の骨も。私は骨や死体に執着心を燃やす類のフェチではなく寧ろ苦手な方なので、この感覚に少々戸惑ってしまった。確かに丁寧にクリーニングを終えてはいる。だから客観的に見て「綺麗な仕事」とは言える。しかしそのようなものとは明らかに違う感覚なのだ。これは生者が決して越えてはいけない一線なのではないか。これ以上関われば死者の棲む冥界に足を踏み入れることになりはしないか。直観的にそんな気がした。

私は日本神話に登場する死した妻に逢うために黄泉の国を訪れた伊邪那岐《いざなぎ》や同じく死した妻を取り戻すために冥界へと下ったギリシア神話のオルフェウスと同じ経験をしたのかもしれない（発掘当時、私自身はまだ独身であったが……）。だとするならば、ここに埋葬された人物は若い女性に違いない。

あの日から数日間、宿舎に戻ってベッドに入ってもなかなか寝つけない日々が続いた。頭からあの艶めかしい艶やかな白い首の骨が離れない日々が帰国の日まで続いたのである。

そして後日判明したのは、やはりあの人骨は女性のものであったということだ。魂を絡め取られなくて良かったと思う。

知らぬ間にカルロスと入れ替わっていた

偉大な先輩方

まだ私が二十代半ばの頃の話だ。二か月におよぶ長いシリアでの発掘調査を終えて、日本に帰国する際にその不可思議な事件は起こった。特に前触れがあるわけでもなく、まったく突然の予期せぬ出来事であったのだ。それもパルミラを出立し、ダマスカスで一泊させてもらい、次の日にダマスカス国際空港に到着してからの話だ。

ダマスカスでのホテル滞在はいつも楽しみであった。隊長の方針（粋な計らい）で帰りは、ダマスカスで一流ホテルに一泊し（それもシングルルームで）、長い調査の疲れを取るということになっていたからだ。私もエジプト調査では隊を率いる立場なので、同じようなことをしたいのだが、経済的にも精神的にも出来ない。本当にシリアでの調査は恵まれていたと思う。偉大な先輩方に感謝。

ホテルで食事したり、スーク（市場）にお土産を買いに行き、名物のオリーヴ石鹸でぼられたり、歴史あるウマイヤド・モスクを訪れたり、ダマスカス国立博物館を訪ねた際にシリア人の大学生たちと美しい中庭で話したりと楽しい思い出ばかりがある。ほぼ内戦状態にある今のシリアの現状を考えると遺憾の念に堪えない。早くあの正直で優しく、明るいシリアの人々に平和な日々が戻ることを祈るばかりだ。

ホテルの部屋では、久方ぶりにCNNのニュースを聞き世界情勢のリハビリをし、バスタブにお湯をこれでもかと張って何度も入った（もちろんシリアの宿舎にバスタブなどあろうはずもなく、共同のシャワー室しかなかったからだ）。何度入っても湯船の底に砂が残った。身体のあちこちに砂漠の細やかな砂がこびりついているのだ。早く寝るのがもったいなくて夜更かししたのを覚えている。

翌朝、朝食を摂るためにホテルの一階の食堂に降りて行くと、みんな帰国用の綺麗な服装に着替えて各自空いたテーブルについていた。こういう時はいつも「ああこれでとうとう帰国するのだな」と感じたものだ。帰りたいような、帰りたくないような。

遠くに山が見える窓際のテーブルに座る。食事を終え、一旦部屋に戻り、スーツケースを下の階に降ろす準備をする。お土産をけっこう購入してしまったので、スーツケースのパッキングが大変だ。

部屋の前にスーツケースを置いておくとポーター（荷物を運ぶ人）が下まで運んでくれる。こういうのにはいまだに慣れない。自分で運ぶ方が気が楽なのだ。もちろんチップを渡すのが面倒というのもある。チップをけちっているのではない。純粋にチップ方式は日本人の感覚や習慣に相容れないと思うのだ。それは私だけではないはずだ。

身支度を終えて、パスポートと航空券がジャケットの内ポケットに入っているのを確認し、部屋の鍵を持ってホテルの部屋を出るときには私のスーツケースは消えていた。他の隊員たちのものと一緒にポーターによって下のロビーに運ばれてしまったのだろう。

私が下に着くとホテルのチェックインカウンターのそばに隊員の何人かがすでに立っていた。その奥を見るとソファーにも何人か座っていた。しかしどうやら最後の一人ではなかったようだ。安心する。すでにみんなのスーツケースと持ち帰る機材は車に積み込まれているようである。三台の車に分乗しホテルを後にした。今度ここに来られるのはいつになるだろうかと感傷的な気分になる（実際は次の年も来たのだが）。

テロリストの仕業

エジプトの首都カイロの上を行く大渋滞とナポリ並みの運転の荒さで車列に頭を突っ込んで来る車たちをシリア人ドライバーは、あの手この手で器用にいなした。我々の乗った車は一路ダマスカス国際空港へと向かった。

首都ダマスカスの雑踏を抜け、一時間ほどで見慣れた空港に到着した。ここに来るといつも大学院の修士課程の頃にバックパックを背負い、初めて一人でこの空港に降り立った日のことを思い出す。飛行機が真夜中に到着したので、どうすることも出来ず、空港の旅行会社のカウンターに座っていたシリア人の親父と夜が明けるまでシリアの遺跡やヨルダンのペトラ遺跡についいて何時間も話をしたのだった。そのときはまだ自分がその翌年にシリアの発掘調査に参加させてもらえるなどとは夢にも思わなかった。空港はあのときと何も変わらなかった（しかしこの数年後に空港はリニューアルされた）。

隊員たちが交代でスーツケースと機材の見張りをしているうちに時間が来た。空港の中に入り、チェックインし、いつものようにパスポート・コントロール（出入国審査）で自分のパスポートと出国カードを提出した際にその事件は起こったのである。

私は突然職員に止められたのだ。そして一枚の出国カードを見せられたのである。先ほど私が提出したもののようだ。しかしそこには、「大城道則」ではなく、なぜだか「カルロス某《なにがし》」と書かれていた。

一瞬何のことか理解できずにいると「お前の出国カードを出せ」と言われた。私はすでに出したわけだが、なぜかそれが、「大城道則」ではなく「カルロス某」のものと入れ替わっていたようなのだ。私は事前に出国カードをきちんと確認していなかった。当たり前だ。他人の名前が書かれているなんてありえないからだ。だからそのまま機械的に提出したのだ。今この目の前にいる人物が入れ替えたのか、あるいはそれ以前に入れ替わっていたのか。今でも原因は分からない。ただ確かなことは、その場で拘束されたり、尋問を受けたりすることもなく、良く分からないと言い訳を言っていたら、そのままパスポート・コントロールを通過させてもらったということだ（イスラエルのベン・グリオン国際空港では三時間くらい別室で拘束され、尋問されたことがある。これもなぜだかいまだにわからない）。幸運だと言うべきだろう。

シリアは今や数少ない社会主義の国である。まかり間違えば出国できず、どこかへ連れて行かれても仕方がない。スパイだと言われればそれまでだ。私は「カルロス某」なのだから。

後から聞いた話だが、同時期に「カルロス某」というテロリストがシリア国内で指名手配中だったということだ。出国カードはそのテロリストの仕業か！　では私の出国カードは、指名手配の「カルロス某」なる人物によって悪用されたのか？　それとも空港職員による質の悪いシリアン・ジョークだったのだろうか。いまだにこの謎は解けていない。

生贄のヒツジをさばく

発掘前の儀式

「生贄」とか「供犠」という言葉には妖しい雰囲気が付きまとう。ホラー映画や怪奇小説を連想させるからであろう。中には思はず昭和の流行歌『蠟人形の館』のセリフを口ずさんだ方もいるかもしれない。しかしできればそのような言葉からは、「旧約聖書」とか「文化人類学」や「民族学」という用語を思い起こしていただきたい。生贄は決してスプラッタムービーの専売特許ではないし、その類義語でもないのだ。

海外発掘経験者であれば分かると思うが、発掘を始める前に生贄を捧げることがある（動物の生贄でなくともお酒を神に捧げることは多い）。紀元前の古代世界では、アナトリア（現トルコ共和国）の大地母神を起源とするキュベレ女神に捧げられた儀式である「クリオボリウム」（人の身長よりも少し高いくらいの穴倉を聖域に掘り、一人の信者がそこに入り込む。その頭上に孔《あな》がたくさん空けられた木の板を渡す。その上で神官たちが雄ヒツジを死ぬまで切りつける。流れ出した血は板の孔から下にいる信者に降り注ぐ。最後に血まみれの信者が穴倉から出てくると、周りにいた人々は恭しく対応する。この儀式を受けた信者は、その後二十年間神聖さを身にまとうことになる）が儀式的殺害としてよく知られているが、現代のエジプトとシリアで私も「クリオボリウム」ほど激しくはないが、生贄を捧げる場に立ち会った経験がある。

両国とも生贄とされたのはヒツジであった。いわゆるスケープゴートというやつだ。日本なら僧侶にお祓いをしてもらうようなものだと言えば理解し易いだろう。たとえ何百年、何千年前とはいえ、被葬者のいる「お墓」を掘るわけだから、お祓いをするのは当然の行為である。その土地土地に継承されてきた死に係わるような慣習や習慣はそう容易く消えてはいかない。時の流れの中で少々形は変わるかもしれないが、長く残存していくものである。

たとえ学術調査とはいえ、外国人が自分たちの祖先の墓を掘るということに嫌悪感や怖れを抱く人たちは絶対にいる。それはごく自然な感情だ。発掘調査に協力してくれる地元の人々の中にもそのような感情は多かれ少なかれ間違いなく存在する。だからこそ発掘の前には生贄を捧げるべきなのである。彼らの文化を敬い誠意を見せるのだ。そしてその生贄の定番はヒツジだ。どのようにして、穢れた存在である我々を守護してくれる聖なるヒツジを選べばよいのか。ヒツジの群れの中から、「あれだ！」と指をさして選び出すのか。そういう役は正直やりたくないので、調査の世話役やコーディネーターに頼むのが普通だ。

私がエジプトでの調査前にヒツジを用意したときは、ホテルの支配人に事情を話し、一頭の料金（値段は忘れたが、それほど高くなかったはず）を確認した上でお願いした。そして選ばれしヒツジは、翌朝我々のために犠牲となったのである。合掌。

後から聞いた話だが、最近のエジプトでは発掘前に生贄を捧げたりはしないそうだ。それならそうと先に教えてくれと思ったが、現在の事情がどうであれ、私にはお祓い的な行為は必要だと思っている。何かが起こってからでは遅いのだ。たとえスーパーナチュラルなことだと笑われ、後ろ指をさされたとしてもやっておいた方がベターだ。できれば調査隊のメンバーに僧侶を一人加えたいくらいだ。仏教系の駒澤大学であれば可能かもしれない。いつかエジプトの発掘現場に曹洞宗の徳の高い僧侶にお出でいただき、ありがたいお経を読んでいただきたいものだ。仏教を知らない地元の人たちにもその荘厳な雰囲気に我々調査隊の真剣さと真摯さを感じてもらえるはずだ。合掌。

エジプトでは現場とは離れた場所でヒツジをさばいてもらったのだが、シリアでは発掘するまさにその墓の前で天国に召された。世話人の方が用意し、肉屋さんが引き連れて来たヒツジがその場で頸動脈を切られ、我々のために犠牲となったのである。

生贄とは神聖なるものなのだ。今でもドクドクとヒツジの首から激しく流れる血の音が聞こえるような気がする。死んだことを確認した後、自分の掌にヒツジの血をつけてお祓いをするのだ。地下墓の階段や近くの石材に手形を押し付ける（写真④）。

同じような行為はイランの方でも類例があると聞いたことがある。世界の至る所で広範囲に亘って、生贄の血で穢れを祓うという同じような観念があるのであろう。

生贄の肉を食す

一通りみんながお祓いを終えると、肉屋のにいちゃんが現場横にある小屋兼倉庫まで天に召されたヒツジを運び、その横で大きな肉切り包丁を研ぎだした。砥石の上でワシワシと包丁を上下させる。生贄となったヒツジの横で何と穏やかというか緩やかというか……。関西人としては、「今から研ぐんかい！」と突っ込みを入れたい衝動に駆られたが止めておいた。普段にこやかな彼の顔が今日に限っては真剣だったからである。

さてこの後はどうなるのだと見ていると、車の荷台から高さ2メートルくらいの脚立を

写真4　階段部分に付けた手形

持って来た。その上の方に金属製のフックをかけた。なるほど、そこからヒツジを吊るすのである。アンコウの吊るし切りならテレビの旅番組で何度か観たことがあるが、ヒツジの吊るし切りは初めてだ。吊るす方がさばきやすいのは世界中どこでも同じという事か。

最初に腹を裂いて内臓を取り出し始めた。まるでホースのように長い小腸が彼の両手で次々引き出される。マルチョウだ！　こてっちゃんだ！　焼き肉が食べたい！　帰国したら即焼肉だ！　カルビだ！　ハラミだ！　タン塩だ！

しかし興奮して騒いでいたのは私だけだったらしい。大方の隊員たちは気持ちが悪かったそうだ。それで脚立の近くにかぶりついていたのは私だけだったのか。それもあり、肉屋と目が合い、こっちへ来いと手招きされた。そして鉈《なた》のような肉切り包丁を手渡されたのだ。「お前もやれ」という意味だ。もちろんやりますとも。こんな経験そうそうできるものではない。

小さく振りかぶって刃を入れた。思ったよりも堅かった。感触は今も覚えている。へへへヒヒヒ。肉屋と一緒にヒツジをさばいた。少しだけだが。後はすべて彼がやってくれた。内臓、脂身、赤身と分けられ、最後には綺麗に毛皮だけが残された。生贄の肉は作業員も含めみんなでテイクアウトした。内臓は一番人気が高く、偉い人たちが持ち去った。その次に人気があるのが脂身の多い部位であった。我々は最後に残った赤身の肉をいただいた。

先進国では健康に悪いだとか、コレステロールがどうだとか、ダイエットだとか言い、脂身を避ける傾向が顕著だ。しかし、本来はカロリーが高い方が良いし、希少性が高く数が少ない部位の方が好まれるに決まっている。屠《ほふ》ったヒツジの肉に優劣をつけるのも良くないが、やはり私はロースよりもカルビだ。そしてホルモンが好きだ。

今夜は作業員の家庭で肉が食卓に上がるはずだ。まだまだヒツジの肉は庶民には高いこともあり、みんな喜んでくれているようだ。家族が家で心待ちにしているかもしれない。日本人の評判も上がる。ヒツジは美味しいのだ。日本の皇室に来賓が訪れた際に開かれる晩餐会でもメインディッシュは、御料牧場で育てられたヒツジ料理なのである。

シリアに行くようになって、肉の中ではヒツジ肉が一番好きになった。シリアのヒツジ肉は、ジンギスカン専用の鍋で焼いて食べる日本のものとは全然異なる。串焼きやシチューのような料理だけでなく、レストランではミンチ状にして食べたり、そこにさらに香辛料を混ぜ込み生で食べたりもする（写真⑤）。

私も好きでよく食べた。シリアのヒツジは、特別に食肉用に改良されたヒツジなのである。尾の部分に脂肪分が多くつくのが特徴で、アワシ種という品種である。シリアでは門外不出とされていたが、中東戦争の混乱の最中にイスラエルの方に大量に持って行かれたという話を聞いた（どこまで本当かはわからないが……）。ただシリアのヒツジはそれほど貴重で、格別に美味しいのだ。これなら他国が欲しがるのも無理はない。このように海外調査で他国に長く滞在していると日本では食べたことがない食材に出会うことがある。まだ食べた経験はないが、ガゼルの肉も旨いそうだ。ガゼルは草や葉などを食べて生きているので、その肉は健康に良いとサハラ砂漠に暮らす遊牧民に聞いたことがある。一度リビア側のサハラ砂漠で調査中に入手を試みたが上手くいかなかった（軍の駐屯地にまでガゼルの肉がないか訪ねて行ったのだが……）。現在はほぼ内戦状態にあるので、当分の間はリビアに入国することはできない。何よりの心残りである。

このヒツジを生贄として屠りさばくという過程とそれを分配し各家庭で消費するというシステムあるいは文化は、昨今少なくなったであろうが（古代ローマ帝国各地で流行した「ウシ殺し」で有名なミトラス教では、殺された牡ウシの肉とワイ

写真5　ヒツジの生肉料理

ンで宴を催すことがよく知られている)、今もシリアやエジプトでは機能しているはずだ。日本文化の中の「おすそわけ」のような感覚なのであろう。

海外発掘とは現地の文化・慣習を享受し、現地の人々とコミュニケーションを取ることでもある。遺跡を発見し、発掘し、世界的な大発見を目指すだけではない。現地の人々と同じものを食べたり、飲んだり、話したりすることもまた調査の大切な一部なのである。特に若い研究者には大いなる糧となるはずだ。現地の人に自宅に招待されたら、手土産を携えて訪問する。高価なものである必要はない。果物でもジュースでも何でも良い。気持ちが大切なのだ。発掘で大発見があれば、関係者を宴会に招待する。アルコールは必要ないので、意外と安くあがるし。汗が流れ落ちる暑い最中でも男同士で友情を表現するために頬をつけ抱き合う。もちろん挨拶である。髭と髭がこすれ合うのだ。ダイバーシティを受け入れるとはそういうことだ(本当にそうか?)。それができない者は海外で調査する資格はない。あきらめた方が良い。しんどい思いをするだけだ。すべてを含めて海外での発掘調査なのだから。だからまた私は神に生贄を捧げるのだ。ありがとうヒツジさんたち。

ヒツジの生肉と目玉と脳みそ

発掘調査中のコミュニケーション

海外調査に出た際の楽しみの一つに食事がある。ちょっと良いローカルなレストランを訪ねるのも、もちろん大いなる楽しみなのだが、地元の方々の普段の食卓に並ぶような料理や地元の若者たちが好むファストフードなどの料理を食べる機会があることも貴重だ。時間的に制限の多いツアー旅行で訪れた際には経験できない体験がそこには待っているからである。その代表例が作業員や博物館職員のお宅へのご招待だ。どの国でも歓待を受けた。これはこれまでの諸先輩方の対応や、そもそも子供の頃から身についた日本人の礼儀正しさのお陰である（両親に感謝）。エジプトでもシリアでもリビアでも同じようなことを言われた経験がある。それは「日本人は私たちと一緒に食事をしてくれる」というものだ。つまり、欧米人たちは「そんなことはしない」ということなのである。いわゆる「無意識の差別」、「無意識の優越感」というやつだ。彼ら欧米人たちに悪意はない。知らず知らずのうちに、つまり無意識に現地作業員とは違うスペースで食事をしたり、同情と優越感とで話しかけたりしてしまうのだ。そしてそれがあまりにも彼らにとって当然すぎるからこそ、彼ら自身も疑問すら抱かないのである。その点、欧米人と日本人とは違う。日本には「お、も、て、な、し」の文化があるからだ。この点は遊牧民のホスピタリティ精神に極めて近い。

現地で積極的にコミュニケーションを取る場合に、私は勧められたタバコを一緒に吸うことがある（私は普段は絶対に吸わない）。隣り合って食事もする。ペットボトルすら共有することがある（コロナ禍の時は無理だったが）。日本の様式美を実践するならば、一緒に酒を飲もうということになるが、イスラム教徒は宗教上アルコール飲料を口にしない。でも一緒にお茶を飲む。とにかく一日に何杯も何十杯もお茶を飲むのが彼らの習慣だ。それも砂糖を驚くほど入れるのである（小さなコップに半分くらい砂糖を入れる人もいる。嘘ではない）。まるで紅茶の飴をなめているような気がするほどである。ただそれくらい暑さで体が糖分を欲しているということでもあるのだが。発掘調査が終わった日の夕方に何も用事がなくても町のメインストリート（単なる大きな道路）に出掛け、並んだお土産物屋やサンダル屋の店先で知り合いとお茶をする。特に難しい話をするわけではないし、真剣な話をするわけでもない。しかし、日々のちょっとした話題とそこから始まる他愛もない噂話とか愚痴が実は大切なのだ。信頼・信用を勝ち取る術なのだ。パルミラで隊長から学んだ現地の人たちとのコミュニケーションの重要性とその方法を私はエジプトで実践している。日本人であれば理解し易い「同じ釜の飯を食う」的な感覚がアラブ世界・イスラム世界には存在するのだ。

そのようにして道端でテーブルを出しお茶を飲み過ごしていると、毎日一緒に発掘現場で働いている作業員たちと何人も出会う。夕方になると心地よい風が吹くので町の人は家族で夕涼みに出て来るのだ。いつもの光景だ(まったく同じような経験を南イタリアのポンペイ遺跡での調査中にしたことがある。夕方になると教会がある町一番の広場にぞろぞろと人が集まって来るのだ)。昼間の暑さが嘘のようにさわやかな時間帯が訪れるのである。そのような時間には、日本隊の誰々はまたあそこでお茶しているはずだと誰かがやって来る。そこに博物館からの仕事帰りの職員が合流したり、そのまま館長のお宅へと連れて行かれたりする。そこまで行くと宿舎への帰宅は遅くなってしまうが、専門家の話や昔話が聞けて面白い時間を過ごしたものだ。アラビア語と英語が飛び交う中、耳学問の重要性を再認識することが多々あった。このような機会を私に与えてくれた大学の先輩でもある隊長に感謝。

海外調査で学んだことがある。それはいつどんなときでも博物館館長クラスからの食事の招待は断ってはいけないということだ(実際には仕事が忙しくて、帰国前などは全員で訪問できないこともあるが)。円滑な発掘調査の実行に現地の有力者である彼らの協力は欠かせないからだ。それに一隊員でしかない大学院生にとっては、美味いものが食べられる絶好の機会だ。それも地元の料理がずらっと目の前に並ぶのである。普段から食べ歩きを趣味としている私のような者にとっては楽しみでしかない。イスラムなのでアルコールはない。何度断っても、コップに酒を注がれて無理やり飲まされることもないのだ。急性アルコール中毒で病院に運ばれる隊員が出る心配もない。ただただ食べるのみだ。皿の上に何もなくなれば、すぐに肉が置かれる。若手の隊員にとっては、断らずにとにかく食べることがここでの一番の仕事なのだ。

グロテスクな食事

あるとき帰国前日であったであろうか、調査隊全員で博物館の館長から宴会に招待されたことがある。ちょうどいい感じの気温の夜であった。町から少し離れた砂漠の中の小さなオアシスまで車で行き、そこでテントのような大きな幕を張った場所に連れて行かれた。離れというかちょっとした別荘のような印象だ。地面に絨毯《じゅうたん》が敷かれた上にみんなで順番に座り、各自にコカ・コーラでもペプシコーラでもない名も知れぬコーラやスプライト的な炭酸飲料などの飲み物が配られた。私が手にしたのは、「スポーツコーラ」という名前だった気がする（違ったかも）。コカ・コーラよりも甘いペプシコーラよりさらに甘い味のするコーラであった。日本では考えられないくらいのペースで炭酸飲料は毎日飲んだ。暑い国では甘い飲み物が必須なのだ。エジプトでも毎日リットル単位で清涼飲料水を飲む。健康に悪い。トマトとキュウリを角切りにして混ぜたサラダやホンムスと呼ばれるパンに付けて食べたりする豆のペーストが数種類並ぶ中央にメインディッシュが置かれていた。マンサフだ！　一般的にはヨルダン料理として認識されているこの料理は、シリアのパルミラでも結婚式などの記念日に饗されることが多い。ハレの日のメニューなのである。マンサフは大皿にインドのナンとよく似た無発酵パンを最初に敷く。その上に炊き込みご飯を山盛りに乗せ、さらにその上にヨーグルトを使用して煮込まれたヒツジ肉を乗せるのである。豪快で見栄えがする。そしてとにかく美味しい。遊牧民ベドウィンの伝統的料理だと聞いている（ちなみに私は東京の神保町にあるパレスチナ人シェフが料理を作るお店で、シリアと変わらないくらいの大皿のマンサフを特注し、友人たち八人とシェアして食べた事がある。全部食べ切れずに持ち帰った）。

マンサフはおもてなし料理なので取り分けられて招待客に配られる。生贄のヒツジを屠ったときに我々に配分された赤身の部分ではなく、その他の内臓的な部位が目の前にやって来るのである。目玉もそのままの頭部が絶妙な焼き具合で食卓に並ぶ（写真⑥）。もう少し火を通して欲しいのだが……。

まんま出てくるので、かなりグロテスクだ。ホルモンが苦手な人には悪夢のような地獄の光景が目の前に出現する。どれがどの部位かが一目で分かってしまう形状をしたものが多い。歯がむき出しになったヒツジの顔と目が合ってしまったりするのだ。私が生まれ育った町では、商店街にある肉屋の店先にブタの首が並べられていたりしたので、他の隊員たちほどは違和感

写真6　ヒツジの頭部と内臓料理

や恐怖感を持たなかったと思う。しかしさすがの私も食べやすい部位だけ選んでいただいた。焼肉のたれでも日本から持参してくれれば良かった。事前にリクエストしておけばラクダの肉（写真7）とかも並ぶ。串焼きにするだけでなく、シチューのようにして煮込む。ラクダ肉は牛肉に近い味がして私はかなり好きだ。

発掘調査の最中、用事でダマスカスやアレッポのような都会に行く際にレストランでランチを食べることがあった。先ほども言ったが、食べるのが趣味のような私にとっては夢のような時間である。私が一番好きだったのはヒツジの生肉だ。最高に上品なユッケのような味がした。そしてもう一つがヒツジの脳みそのフライだ。フライと言ってもコロッケやトンカツのようにたっぷりの油の中で揚げるようなものではなく、薄くスライスした脳みそにパン粉を付けて表面を焼いたものだ。ムニエルとか、ウインナーシュニッツェル（牛肉をたたいて薄く伸ばして揚げた、ウィーンの代表的な料理）に近いだろうか。よく言われることだが、ヒツジの脳みそはフグの白子のような食感と味がする。まったくその通りだと思う。ヒツジの脳みそは世界的に見ればそれほど珍しい食材ではない。フランス料理でも普通に使用されている。日本人にとってはまだ認知されていないというに過ぎない。食材なんてその人の生まれ育った環境で大きく変わってくる（私は関西の超ディープなダウンタウンで生まれ育ったので、ホルモンは子供の頃からおやつのようなものだった）。砂漠の遊牧民にとっては、ヒツジが最も身近な食材であっただけだ。そして脳みそを含むその内臓も。海を知らないサハラ砂漠の遊牧民が松葉ガニやシャコの見た目を気持ち悪がり、恐れて食べないのと同じだ。

写真7　ラクダ肉専門店の店先にぶら下がるラクダの頭

後で聞いたことだが、ヒツジの脳みそを喜んで食べたのは隊員の中で私だけだったらしい。日本人は基本的に食に関しては保守的だ。確かに今振り返るとヒツジの生肉も私が率先して食べていたような気がする。食だけではなくシリアでは色々な経験をさせていただいた。海外発掘調査中の食に関する私の思い出には、良いものも悪いものもあるが、他の隊員たちにとって、日本ではゲテモノの類に入る食べ物を嬉々として食べる私は恐怖の存在だったのかもしれない。

一年越しで砂漠に届いたハム・ソーセージ詰め合わせ

一年後に届いた小包

海外調査のみならず外国で生活していると日本ではまず起こりえない出来事に遭遇することがままある。それはイギリスであれ、イタリアであれ、その他の国々であれ、長く外国に暮らした経験を持つ方であれば、多少の苛立ちとともに、すぐに片手くらいの数を例として挙げることができるであろう。本当に困ったものだ。そしてそれと同時に我が国日本とは、何て素晴らしい国なのだろうと心の底から感じるのだ。それがシリアのような社会主義の国であったならばどうだろう。あなたには想像がつくだろうか。日本から発送された郵便物がパルミラで発掘調査中の私の元まで到着するのに一年かかったことを。これは実際にあった出来事である。

H氏は私の小学校時代からの友人で、当時日本有数の食肉加工メーカーに勤めていた。そして私がイギリスのバーミンガム大学大学院に留学していた頃に、しばしば賞味期限ぎりぎりのハム・ソーセージを送ってくれていたのである（賞味期限が切れていても消費期限ではないのできっと大丈夫……）。貧乏学生であったので大いに助かったのだが、その彼がシリアの調査で私が二か月半も滞在するという話を聞きつけ、そこそこ大きな小包でハム・ソーセージ詰め合わせを送付したというのだ（シリアの住所は私の母に訊いたらしい）。そのことは発掘シーズンが終了して、日本に帰国した後で本人の口から直接聞いた。しかし、不思議なことに私はその小包を受け取っていなかったのだ。いつ頃発送したのかという問いに、彼は「7月の終わり頃に明石の郵便局から出した」と話してくれた。私が帰国したのは9月中旬である。つまりその間、二か月近くあったことになるが、受け取ることは出来なかったのだ。

日本に暮らしていると普段意識することはないが、海外の郵便事情はかなり酷い。イギリスのような先進国でさえ、再配達は難しいし、郵便物が届かないことを必死に電話で問い合わせてみてもよく分からないと言われるだけだ（私の英語力の問題かもしれないが……）。幸運な場合でも空港まで自分で取りに来いという。最寄りの駅から一時間以上歩いて段ボール箱を取りに行ったことを思い出す。あれは1997年のことだ。香港がイギリスから中国に返還された年だ（2023年の現状を考えるとイギリスのままの方が良かったのに）。当時、イギリスでは関心の高い話題であったためか、町を歩いているとよく「おおい、カンフー・マスター！」と声が掛かったものだ。私は香港人でもないし、カンフーの達人でもないのだが。まあ英国人にとっては、香港人も日本人もそう大差ないのだ。1997年からすでに25年以上たっているので、もう状況は改善されているとは思うが、イギリスはなかなか侮れない国なので注意は必要だ（2011〜2012年にかけて在外研究のためイギリスに滞在していた際にも郵便物の配達で何度ももめた）。最先端を行っているようで、根本的な変化を好まない（好まないというか、変化を拒絶する）国民性だからだ。

郵便事情もそうだが、医療関連もなかなかなものがある。お世話にもなったので、大きな声では言えないが不満だらけだ。それに比べてロンドンの日本人病院の何と素晴らしいこと！この件に関しては、またいつか別の機会に話そうと思う。イギリスの話だけでも一冊本が書けそうだ！

シリアの状況はまたイギリスとは別の問題であろう。どこかの過程で郵便物が忽然と消え失せることがあるのだ。だから大事な機材は郵送できないし、書類もＤＨＬ（国際宅急便）を使用して何とか確実性を強化するといった程度だ。ここが社会主義国家の難しいところなのである。

A地点からB地点に向かう途中経過が不明瞭なのである。もちろん追跡調査など望むべくもない（日本のクロネコのヤマト運輸も佐川急便も凄いのだ！）。本当に大事なものであれば、日本から飛行機に乗って手持ちで、誰かに直接発掘現場まで持って来てもらうしかない。そして事実そういうことも調査隊であったらしい。一人分多く旅費が掛かるので大変だ。途中合流組に持参してきてもらうのがベストである。考古学に使用するものは、精密機器にしろ竹べらのような道具にしろ、現地で手に入れることはほぼ叶わない。各隊員が出国前に調査隊から割り当てられたものを自分のスーツケースへ入れて現場に持ち込むのである。醤油や素麺のような食料の場合もあれば、接着剤やトレーシングペーパーのような仕事用のものもある。ときには現地の有力者に頼まれたお土産や研究に必要な書籍までがその対象となる。海外調査では帰国時に滞在国の考古局とか文科省的な役所にレポートを提出する決まりになっている（少なくとも私が行くような国はそうだ）。そのため書籍や写真・図面のデータなどの参考資料は欠かせないのだ。デジカメが普及する以前には、山ほどネガフィルムをスーツケースに詰め込んだ記憶もある。デジカメが氾濫し、何千枚も何万枚も気兼ねなくシャッターを切ることができる時代になった今では想像すらできない。そして何より今は、インターネット接続が容易になり、情報も格段に入手し易くなっている。スーツケースの荷物もかなり減った。

現地の文化、宗教は事前に学ぶべし

ではハム・ソーセージ詰め合わせはどこに消えてしまったのであろうか？　単純に考えれば途中で勝手に開封され、持ち去られたということになる。盗難事件だ。犯人は誰だ？　空港職員？　郵便局員？　配達員？　それとも配達の際に誰かに盗まれた？　そしてもうすでに食べられてしまった？　どれもこれもありそうな話だ。ただ色々と理由は考えられるのだが、開けてみて中身を確かめた人物がそれを持ち去って食べたとは到底思えない。なぜならシリアはイスラム教国であるからだ（少数派だがキリスト教徒もいるが）。イスラム教の戒律でブタは忌避する対象であり食べることはできない。そしてハム・ソーセージはほぼ豚肉で作られているからである。あなたは盗んだ人物が原材料を知らずに食べてしまったのではないかと思うかもしれない。その可能性はゼロではないが、イスラム教徒はその点についてかなり敏感である。日本製のスナック菓子やカップ麺ですら警戒する。ゼラチンやショートニングにブタが使用されていたりするのを知っているからだ。だから海外調査をする日本人は、現地の文化・習慣、特に宗教を知っておかねばならない。

昔、偉い方のお供でエジプトの大学を訪問した際に、その日本の偉い方が現地へのお土産として、日本酒を二本持って来たことに驚いたことがある。ものを知らないにもほどがある。彼は何の疑いもなく好意で持って来たのだから質が悪い。しかも重いのに……。これはダメだと思い、そこからは慎重に先手を打って私が積極的に現地で動いた。「偉い方」には勉強して欲しい。自分の欲しいものが、常に相手の求めているものではないのだ。「イスラム教徒がアルコール飲料を飲まない」のは、小学生でも知っていることだと思うのだが……。今思い出しても怖い。相手の文化や宗教を事前に学んで欲しいものだ。相手の信用を得たいと思うならなおさらだ。考古学でも単に遺跡を掘って、写真を撮って、実測すれば良いわけではない。どんな場合もそうだが、物事を円滑に進めるには、そしてより良い成果を挙げようと思うのであれば、人とのつながりと信頼関係が何よりも大切なのだ。

以上の考察から、ハム・ソーセージ詰め合わせをイスラム教徒が持ち去ったという可能性は却下だ（中身を知らずに盗み、気づいてどこかに捨てたという可能性は残されているが）。ではA地点からB地点に行く間に何が起こったのか？　しかし「消えたハム・ソーセージの謎」は、次の年のシーズンにあっけなく解けた。現地パルミラに到着してしばらくした頃、私宛てに小包が届いたのである。見た瞬間に「例のブツだ」と分かった。差出人もH氏であった。間違いない。友人が小包でシリアの現場に送ってくれたハム・ソーセージの詰め合わせが、次のシーズンに一年遅れで私の元に届いたのだ。小包に開封された形跡はまったくなかった。たぶん単純に何らかの理由でどこかの時点で配達が遅れ、パルミラの郵便局に届いていたが、そのとき日本隊はすでに帰国しており、小包はそのまま郵便局の倉庫にでも保管されていたのであろう。町中の人は日本隊が毎年夏に発掘調査にやって来ることを知っている。だからそれまでキープしておいてくれたのだ。疑って申し訳ないことをした。

開封された手紙

しかし、シリアではしばしば手紙類が勝手に郵便局員によって開封されていることがあるのも事実だ。そして中にCDやカセットテープなどが入っていれば持ち去られることもあるのだ。私にも経験はあった。そのときは手紙しか入っていなかったので、開封された形跡はあったが中身は無事届けられた。開封されていたのは当時お付き合いをしていた女性からの手紙（写真⑧）であったので、内容は読まれたくなかったなと思ったが、そも

写真⑧　パルミラ博物館宛てに日本から届いた手紙

そも日本語が読めるシリア人の郵便局員はいなかったであろう。そこは安心できたのであるが……。

パルミラではたくさん手紙を書き、たくさん手紙を出した。切手代は調査隊から出してもらえたので、とにかくたくさん書いた。そして日本からもたくさんもらった。今でも大事に保管している。二か月も同じ場所にいるので、通常は手紙のやり取りをする時間は十分あるし、郵便物も受け取り易い。が、ハム・ソーセージ詰め合わせは届かないことを学んだ。今ではメールが簡単にパソコンからもスマートフォンからも送れる。仕事関係の資料もすぐに送ってもらえる。時差があるから、こちらが眠っている間に日本で作業してもらえるので、効率的ですらある。便利な時代になったものだ。でも遠い異国の発掘現場に届く日本からの手紙を毎日待つ楽しみ、読む楽しみを今の隊員たちが経験できないのは残念だ。海外発掘には様々な思い出が去来する。若い研究者にも色んな経験をして欲しいものだ。しかし、ハム・ソーセージは決して送ってはならない。開封するドキドキ感はあるが……。

砂漠から地中海までカツオを買いに行く

鮮魚購入の命を受けた遊撃隊

海外調査の思い出を語ると食べ物ばかりを思い浮かべてしまう。ヒツジの生肉や脳みそのフライの話も美味しくて面白いのだが、日本人なら魚の話もしておきたい。日本でならばどの地方に行っても魚料理を食べることができるが、調査隊はシリア砂漠の真ん中にいるので海とは全く縁がない。なぜ長野県や栃木県の温泉旅館に泊まってまで、夕食にマグロの刺身が出てくるのかがいまだに理解できないのだが……。二十代後半の頃にイタリアのポンペイで発掘調査をしていたときには、宿舎で魚をよく食べた（生ではない）。もちろんパスタ料理も大いに食べ、ワインも大いに飲んだ。ポンペイは海産物豊富なナポリに近いし、そもそもポンペイ自体も海に近い町であった。古代には海が町の傍まで来ていた。港もあった。だからは発掘すると貝やウニの殻がしばしば見つかるのだ。古代ローマの人々は、イカもタコも食べたのである。

なぜそのようなことが分かるのかと言うと、古代ローマの美食家たちが海鮮料理のレシピを残してくれているからである。たとえば有名な古代ローマの美食家アピキウスは、「舌ビラメの白ワイン煮」とか「イワシの香草蒸し」などのレシピを残してくれている。聞くだけでよだれが出てきそうだ。さらに古代ローマ人たちは、蠣《かき》をわざわざイギリスから取り寄せたりしたのだ。そのような海産物についての文献史料や考古遺物を目にするたびに、イタリアは今も昔もグルメ大国なのだなという気がしてくる。ローマは征服した地中海沿岸を次々と属州の一部としてローマ化していった。それら沿岸にあった港を拠点として、自由な海上交易を行い、ありとあらゆる商品、特に食糧をローマへと運び入れたのである。また海を通して地中海の枠組みを超え、紅海や大西洋とつながり、さらに河川を通じてヨーロッパ内陸部へと文物を輸出入した。その中には海産物もあったに違いない。地中海という交易網を利用することで、古代ローマ帝国は海の幸を味わい尽くしたのである。

意外に思われるかもしれないが、エジプト人たちも昔から海産物をよく食べる。ナイル河のナマズやティラピアなどの川魚も当然古代から食べられてきたが、海のものもよく食べたのだ。そこそこ大きな町の魚屋であれば、海水魚も多く店頭に並ぶ。アフリカ大陸にあり、砂漠のイメージが先行するために忘れられがちなのであるが、何といってもエジプトは地中海に面している国なのだ。そして昔も今も地中海にはマグロもいればタコもいる。海の中ではタイもヒラメも舞い踊っている。我々も現に日本で地中海産のマグロを食べている。カイロのシーフードレストランのメニューには、イカリングもエビの塩焼きもある。お洒落なお店ではマグロのステーキもメニューに並ぶ。なぜだかボラもエジプトではよく食べられている。私はボラが一匹丸ごと入ったお弁当（写真⑨）を食べたこともある。切り身ではなく、一匹丸ごとである。

しかし中でも我々日本人が驚くのが、レストランのメニューの中にカラスミがあることだ。あのカラスミだ。ボラの卵巣を干して作られる日本では最高級珍味のカラスミをエジプト人も食べるのである。パスタに絡めたり、サラダに混ぜたりする。もちろんそのまま食べることもある。私はアレクサンドリアの海沿いにある市場近くの小さなレストランで、もし日本で食べたら四千円は取られそうなカラスミのパスタを二百円ほどで食べたことがある。ギザでクフ王の大ピラミッドを初めて見たときよりも感激した。エジプトツアーを

写真⑨　ボラ一匹丸ごと弁当

企画する旅行社は、絶対にカラスミを食べさせるために、日本人観光客をレストランに連れて行くべきだと思う。そのためにだけでもエジプトに行く価値はある。

砂漠の真ん中に位置するパルミラでも魚を食べる機会は何度かあった。どこで獲れたのかわからないが、白身だったのでナマズだと思う。申し訳ないが、あまり美味しいとは言い難い味だった。もちろん魚好き国民として知られる我々日本人のためを思って、気を遣いわざわざ購入し調理してくれたのであるが……。だから本当に申し訳ないと思うのだが……。二か月を超えるような調査になると、やはり生魚が恋しくなる。日本人だもの。ということで、地中海の港町まで魚を買い出しに行ったことが何度かあった。砂漠の調査中、生魚に飢えて地中海まで刺身用のマグロを買いに行ったのだ。実際にはマグロは売っておらず、カツオやハマチを買って帰ったはずだ。私の記憶が正しければ、ほぼ夜中と言っても良いほどの早朝に鮮魚を購入する命を受けた遊撃隊は、巨大なクーラーボックスを二個携え4WD車で出発した（向こうで宿泊したかどうかは記憶にない）。東地中海沿岸にあるシリア第一の港湾都市ラタキア（ちなみにダマスカス、アレッポ、ホムスに次ぐシリア第四の都市）や第二の港湾都市タルトゥースが目的地である。ラタキアは、古代からラオディケイアという名前で知られており、その当時からワインの産地として名高い（ちなみにすぐ近くのレバノンは今でも「クサラ」という銘柄のワインが有名である。美味しいのでよくダマスカス国際空港の免税店でお土産に購入したものだ）。一方のタルトゥースは、ラタキアよりも南方にある都市で、かのアレクサンドロス大王が落とすまで難攻不落の要塞島であったアルワード島やアムル人が建造したとされるアムリトの水神殿でも知られている。考古学・歴史学の学徒にはたまらない魅力に満ちた都市だ。

港近くで魚を購入した。正直言うと、私にはついでに車で回ってくれた遺跡を訪れたことしか記憶にないのだが……。いずれにせよ、ミッションはコンプリートしたので、また砂漠へと帰って行ったのである。魚は刺身にしたり、煮物にしていただいた。私が調理したわけではないことを付け加えておく。できなくはないが自分よりも上手い人がいる場合、任せておくに越したことはない。次の日、身体中から魚の匂いがした。シリア人たちにもサマック（アラビア語で魚の意味）の匂いがすると笑われた。欧米人にも魚臭いと笑われた経験がある（決して侮蔑《ぶべつ》的な意味ではなく）。ちなみに醤油臭いと言われたこともある。他国民・他民族からすると、そんなものなんだなと思ったことを覚えている。海外で町を歩くと様々な匂いと遭遇する。アレッポの匂い、トリポリの匂い、バーミンガムの匂い、アスワンの匂い。町はそれぞれの匂いを身にまとい歴史を刻んでいるのだ。

一番怖い話

今のところこのお話は怖ろしくもなんともない。フグの毒で死にそうな経験をしたというわけでもないし、魚が腐っていたわけでもない。交通事故に遭ったわけでもない。「砂漠から海に魚を買いに行く」という単純なものなのだが、一つ説明を加えておく必要がある。この魚をはるか遠くの地中海までわざわざ買い出しに行くという企画は、決して遊びではないということだ。これはストレスをため込んだ隊員たちの精神を安定させるべく計画された真面目なプロジェクトなのであった。今となってはその意味がかなり大きかったのではないかと思う。隊長を含め年配の先生方は色々と考えてくれていたのだなと感じる。若い頃は何も考えていなかった自分に反省（殴られはしなかったが、よく叱られた）。

海外で生魚を食べた話をするとこれまた必ず質問されることがある。それは「砂漠で食べた魚にあたった経験はないのか」というものだ。常に新鮮な魚を食べている日本人であれば考えそうな質問だ。エジプトのカイロで蠣にあたって大変な目にあった考古学者にお会いしたことはある。私は無類の蠣好きだが一度もあたったことはないし、一緒に食べた友人がほぼ全員病院送りになった際にも、私ともう一人（彼は関西の私立大学の教員になっているが）だけは平気で何の問題もなかった。しかしそれ以来、念のため海外では食べるのを我慢している。

ただパルミラで卵にはあたった経験がある。休日の朝に卵かけご飯を食べたのだが、これが的中したのだ。卵を生で食べても大丈夫なのは日本くらいであったことを忘れていた。それまで何度も海外の調査中でも生卵は食べていたのだが……。油断大敵である。もう一つ食べ物の話を思い出した。それはイチジクの話だ。シリアのイチジクは美味しい。絶品なのである。日本のイチジクとはちょっと違う。甘味が強くて香りが良いのだ。何も手を加えなくても上等なスウィーツやデザートとして通用するほどだと思う。最高級のジャムとはこういうものなのではないかと思うほどだ。道端でキロ幾らで量り売りしているもので十分に美味しいのである。ただし一つだけ注意が必要だ。本当に注意が必要だ。それは実の中に虫がいるかどうかである。日本なら栗の中に虫がいることがあるが、まあその程度であろう。しかし、シリアのイチジクの中にはウジ虫が湧く。

ある日、車で走っているときに見つけた屋台でイチジクを買い、その場でその実を割った。実の中心辺りが白い小さな粒粒の繊維質となっている。食べようと口を近づけたときに中身の繊維質の部分がもぞもぞと動いているような気がしたのだ。あれっ？　と思い、顔を近づけるとそこにウジ虫の大群がいた。イチジクの中身がもぞもぞと動いているのだ。思わず道の向こうにある畑に投げ捨てた。戦慄・驚愕とはあのことだ。あれから当分の間、イチジクは食べられなかった。カツオもハマチも怖くはないが、イチジクにウジ虫、これが一番怖い話かもしれない。人間にとって美味しいものは、虫にとってももちろん美味しいのだ。それは間違いなく真実だが。ああ、気持ち悪い……。

ホテルの部屋のトイレを詰まらせる

海外のトイレ事情

海外調査を含む海外旅行の失態としてよくあるのは、お風呂とトイレの話であろう。ホテルの部屋でお風呂のお湯を入れながら寝てしまい、部屋中が水浸しになったという話をよく聞く。実は私にも経験がある。テレビを見ていたらいつの間にか寝込んでしまい、気づいたときにはバスルームからお湯が溢れベッドの方まで浸水していたのだ。もう少しでホテルの廊下にまで染み出しそうなところで気がついた。眠気も吹っ飛んだ。一晩中、部屋中のバスタオルで床に染み込んだ水を吸い取り、ドライヤーで乾かした経験もある。あんなに焦ったことはそうそうない。どの国のどのホテルかは決して言えない。このことは墓場まで持って行く。しかし何とか事件以前の状態に復元できた。後からクレームが来ることも覚悟していたが、ゆるい国で良かった。そこがその国の良い所でもある。その後も同じホテルは何度も利用している。多少の謝罪の意味も込めて。

後者のトイレにまつわる話も海外事情の定番だ（綺麗な話ではないので、「取り扱い注意」ではあるが……）。トイレットペーパーが切れているなどは当たり前で、扉のない開けっ放しのトイレや便座のない便器など、トイレに関する話題は尽きることがないほどだ。お風呂で使用するような綺麗な水やお湯であれば良いのだが、トイレの場合はしばしばそうではないことは容易に想像がつくと思う。そこがちょっと困るのだ。ホテルのトイレにも色々あるが、そのとき私が滞在したのは、そこそこの値段のそこそこ新し目のホテルであった。そういうレベルのホテルでは、通常ヨーロッパ並みのファシリティが望めるはずだったのだが……。油断していたのであろう。私としたことが、そこがエジプトであることをすっかり忘れていたのだ。それゆえに事を終えた後、トイレットペーパーを便器に流して詰まらせてしまったのだ。いまだ世界の多くの国々では、トイレットペーパーを使用後、直接便器に流さない。便器の横に置いてある籠に放り入れるのが普通である（それはそれで不衛生な気もするが……）。それに気がつかずに水を流してしまったのだ。そして運が悪いことに、そこに流した水が止まらないという故障が重なった（このトイレの水が止まらない現象は、エジプト各地において見られる不思議な現象だ！）。果たしてホテルの部屋は水浸し。これにも最初は気づかなかった。バスルーム（バスタブはなし、シャワーと便器のみ）から水が部屋に流れ込んで来て初めて異常事態であることを認識したのだった。

嗅覚が悲鳴をあげる

視覚的に気がついた後、ほぼ同時に嗅覚も反応した。あまり詳しい描写は危険なのでここでは割愛するが、色々な汚物が目と鼻に同時に飛び込んできたのだ。本能的に反射的に見ないように両目は閉じたが、いかんせん、鼻は閉じることができなかった。息を止めたら死んでしまうではないか。その時、ふと以前よく似た体験をエジプトでしたことを思い出した。ミイラに関するものだ。みなさんは発掘したてのミイラを見たことがあるだろうか。見た経験のある人は今すぐ手を挙げて下さい！ もちろん手は挙がらないはずだ。そう、挙がらなくて当然なのだ。真っ当な人生を、そして善良な日本国民として普通の人生を生きている人であれば、博物館・美術館で開催される古代エジプト展やインカ文明展以外でミイラを目にすることはないであろう。それが正常な人生だ。そう、あなた方は正しい道を歩いている。しかし、私のような歪んだ人生を送っているとミイラはあちらさんからやって来るものなのだ。今回のトイレでの体験は、それら発掘ほやほやのミイラをエジプトのある場所で見たときと同じであった。ミイラを見た際の視覚的な驚きはそうでもなかったのだが、嗅覚的な驚きは今でも忘れられないほどだ。ミイラが作られてすでに二千年以上が経過しているのにもかかわらず、私はそのとき明らかな「死臭」を感じたのである。

人骨から臭いはしないが、ミイラは臭うのだとそのとき初めて知った。そして心の底から発掘調査はしたいが、ミイラは発見したくないなと思ったのだ。私がそのとき出会ったミイラは、庶民に近いレベルの低級なものであったから、社会階層的に上位の裕福な人々のものではない。もしかしたら王や王族、貴族のミイラからはいい匂いがするのかもしれない。高価な香料である乳香や没薬《もつやく》をたくさん使用していることがミイラの化学分析によって知られているからだ。どちらもアフリカの奥地やアラビア半島などから輸入された高価な品であった。ミイラ製作の際に腐敗・崩壊を防ぐために防腐剤として用いられたと考えられているが、もしかしたら臭いを防止する消臭の意味も大きかったのかもしれない。

もともと下水管に不具合があったことも、流した水が止まらなくなることがあることも、ホテルの従業員に後から言われた。何ということだ。事件が起こった後からそんなこと言われてもね～。エジプトではいまだ水洗式トイレの普及は完全ではない。地方の町に行くとまだまだ私が子供の頃に体験したような、いわゆるぼっとん式トイレに近いものや和式トイレのようにしゃがむスタイルのものも多いのだ（写真10）。

エジプト旅行は団体ツアーが多いので、綺麗なホテルのトイレか、旅行社が契約しているような大きなお土産屋さんのトイレか、あるいは博物館や遺跡エリアにあるトイレしか使う機会がないかもしれない（ちなみに博物館・遺跡ではトイレ使用賃が要求されるので1エジプトポンド紙幣あるいは1ドル紙幣を用意しておくこと）。もし昔ながらのトイレを体験したければ、バスがガソリンスタンドで停車した時にでもそこのトイレに行ってみれば良い。もちろんトイレットペーパーは備えつけられていないことが多いので、自分で持参して下さいね。

一度、庶民代表であるタクシーの運転手のお宅にランチを食べに行ったことがある。トイレを拝借したが、当たり前だが和式トイレスタイルだった。基本的にトイレットペーパーは使用せず、ホースでつながれた蛇口からの水でお尻を洗い流す。冷静に考えれば、原理としてはウォシュレットと同じなのだが……。問題はそこいらじゅうが水浸しになってしまうという点だ。そこだけ改善されれば何の問題もないとは思う。たとえ靴や靴下が濡れてしまってもすぐ乾くし……。臭い話はこれくらいにしておこうと思う。でも乾燥気

写真10　タイルが綺麗なエジプトのトイレ

候の国で本当に良かった。不幸中の幸いであった。日本なら目も当てられない。鼻も当てられない？

飛行機の中でアヴェ・マリアが流れる

真夏の寒暖差

乗り物が嫌いだ。見るのがではない。もちろん乗ることがだ。しかし、海外調査では移動する必要が必ず出てくる。だから乗り物は必須だ。日本史研究者になれば良かったと空港に立つ度に思うが、後悔先に立たずである。幼い頃から遠足のバスですら嫌いだった。酔うからだ。満員電車も極力避けて生活して来た。今でもだ。乗ることが苦でなかったのは、父親が運転する車だけだった。毎日仕事で車を使っていた父の運転は上手かったと思う。以前は自分でも車の免許を持っていた。それもマニュアル車用の免許である。わざわざ山形県にある赤湯の合宿所まで行って勉強した。当時流行っていた大学生向けの二週間の短期合宿であった。初日に教官の話す山形弁がまったく理解できず、共通語を話す教官に変更していただいたことを思い出す。それほど苦労して取得した免許も、東京に暮らすようになってからは必要性を見出せなくなり、車には完全に乗らなくなった。もともと運転中もあちこちと気が散り易い性格だったので、大きな事故を起こす前に止めてしまって正解だったと思っている。

バスでも辛い思い出がある。10年ほど前に調査の途中に一度エジプトの長距離バスで死にかけたことがあるのだ。別に崖から落ちたとか落ちかけたとか、バスジャックにあったとか、あいかけたとかではない。カイロ市街で乗っていた調査隊のマイクロバスが他の車と衝突したことはあったが……。あれは真夏の出来事であった。7月だったと思う。エジプトの首都カイロから夜行バスで八時間掛かる遺跡へと向かう際の事であった。繰り返すが、それは真夏の出来事であった。これも繰り返すが、エジプトでの出来事だ。皆さんご存じだろうか、エジプトはアフリカ大陸にあるのだ！　アフリカの夏は暑いのだ！　日中の気温が五十度近くなることもある。実際に2019年の夏にエジプトのメイドゥム遺跡で調査していたときに四十五度超えを経験した。その日、現地のエジプト人に「今日だけは仕事は止めた方が良い」と引き留められたほどだ。実際に大学院生のOさんは暑さでフラフラになっていた。日本や東南アジアのように蒸し暑くはないが夜もそれなりに暑い。

カイロ市街からバスに乗り込んで最初の一時間は涼しく快適であった。しかしすぐに状況は急変した。理由は明白だ。エアコンである。故障で車内が猛烈に暑くなったというわけではない。それならまだましだ。窓を開ければ風が流れこんでくる。むしろ快適かもしれない。逆にエアコンが効き過ぎなのだ。調査隊専用のバスであれば、エアコンを調整してもらうことは可能だ（我々が給料を支払っているのだから）。しかし、私が乗ったのは現地のエジプト人が乗る長距離バスであった。幸か不幸か非常に新しく綺麗なバスであった。ゆえにエアコンも故障していない（たいていのエジプトのバスのエアコンは故障しているか、極めて効きが甘い）。これまでも世界中で長距離バスを利用してきた。もちろん世界のバス事情と日本のバス事情とを比べると、圧倒的に日本が上だ。すべてにおいて日本が上だ（ちなみにサービスエリアの充実度も）。しかし、どの国でも長距離バスはそれなりに快適で安いので、これまでもよく利用してきたのだ。だがこの度のバスはいけなかった。六時間以上、冷蔵庫の中にいるようなものだったからだ。私以外の乗客はおそらく全員エジプト人であった。みんな平気のようだった。信じられないことに半袖の男もいた。おそらく違う惑星からやって来たのであろう。目的地に着いてバスを降りる頃には私は完全に体調を崩していた。それ以来、エジプトで長距離バスに乗るときは、たとえ夏であってもサッカー用のベンチコートを用意して席に座ることにしている。

揺れる世界の惨劇

船でも大変な目に遭ったことがある。アイルランド西岸に浮かぶ島であるアラン諸島に行こうとした際の話だ。その二日前まで私は中東のある国を一人で旅をしていた。大学の春休みを利用しての旅だった。冬であったが中東は日焼けするほど日差しが強く暖かかった。そこからアイルランドに飛行機で飛んだのである。理由は簡単だ。当時お付き合いしていた女性がアイルランドに短期留学していたからだ。甘くてドラマチックな話だ。しかし、現実は甘くなかった。初春のアイルランドをなめていた。空港に着いてすぐに暖房のよく効いたバスに乗り、ダブリン市内に向かったまでは良かったが、バスを降りた途端に後悔した。凍えるほど寒かったのだ。ここが同じ地球上にある国とは思えなかった。だから最初に私がアイルランドでしたことは、彼女に会いに行くことではなく、暖かい服を買うことであった。予算は完全にオーバーしていたが革ジャンを一着購入した。これは今でも大事に持っている（私の研究室内にあるハンガーに掛けてある）。この後、船上でアクシデントにあって危うく廃棄処分となるところだったが……。

次の日、我々はアラン諸島に船で向かう予定を組んでいた。手編みのアラン・セーターで有名な島だ。日本人らしく完璧なスケジュールを組んでいたのである。それゆえ少々風が強く雨が降っていても中止や延期など考えもしなかった。我々が乗った船は小型のフェリーであった。三十人くらいは乗船していたと思う。覚えているのは、船の甲板中央に大きめのキャビンがあったことと、そこに座席が綺麗に並べられており、その真ん中には海中を上から覗き込んで見ることができるようにガラス板が張られていて、それを囲むように高さ1・2メートルほどの四角い壁が設置されていたことだ。ちょうど井戸の底を上から覗く感じだ（日本の観光地にある水中観光船・グラスボートに近い）。船の構造に関してそれ以上の記憶はまったくない。それまで船は嫌いではなかった。子供の頃から釣りが趣味だったので、船は比較的よく乗っていたからだ。少々揺れてもどうということもなかった。この日までは……。

全員の乗船が完了し、予定通りフェリーが出港してすぐにその異変は起こった。ゆらゆらと足元が揺れ始めたのだ。揺れは徐々に激しくなった。揺りかごのようだ。振り幅が大きい。マグニチュード8・5はあるだろう。そのためほぼ全員が自力で立っていることができず、キャビン中央にある四角の枠の手摺にしがみついたのである。彼らの視界の先には綺麗に磨かれたガラス底が見えたはずだ。なぜなら私には確かに見えたからだ。そしてその先には海中が見えた。何も知らない第三者がこの光景を目にしたとしたら、どのような感想を持つだろう。怪しげな宗教儀式でも行うかのように、十人ほどの乗客が一様に頭を下げて両手で手摺をつかんでいるのだ。ならば座席に座っていれば良かったのではないかとあなたは思うかもしれない。しかし「事実は小説よりも奇なり」だ（ちょっと使い方に違和感があるが）。誰もが座席に座っていることすらできなかったのだ。なぜなら、みんなトイレに向かう必要に迫られていたからである。そう、乗客全員が激しい船酔いに見舞われていたのだ。もちろん全員という事は私も含めてということでもある。キャビン後方に備え付けてあったトイレは一瞬のうちに「元お昼ご飯」だと思われる液体・固体によって無残にも使用不可能となり、直視すらできないような悲惨な状態になった。ビールであろうアルコール臭の混じる臭いも強烈だ。そのようななか、トイレにたどり着けず、一人の男性がついに床に嘔吐した。それがまるで何かの合図であるかのように、床面に地獄絵図が描かれ始めたのである。多彩な色で……。このようなことは「連鎖する」と聞いたことがあった。いわゆる「もらう」というやつだ。そしてそのことは見事に船上で証明されたのだ。

手摺にしがみついていた私にも限界が近づいていた。そしてついに臨界点に達してしまったのだ。大きな横揺れの引き際に合わせるようにして、四角の枠の中に私のランチは一気に注ぎ込まれた。一瞬でガラスが曇った……。一人がやってしまえば、そこからは止まらない。集団心理の恐ろしさである。まるで酔っ払いが便器の中に吐くように、「ゲロゲロゲロゲロ」とカエルの歌の大合唱が始まった。ソプラノもアルトもバスもあった。でもそれぞれ音の高低に違いはあれど、みんな「カエル」であった。すぐにガラスは埋め尽くされ見えなくなった。お掃除の方ごめんなさい。生まれて初めて本当に胃が口から出てくるのではないかとすら感じた。下船する際も大変だった。何人も床で滑ってコケていた。最悪……。最寄りの港からアラン諸島までは一時間弱程度だった気がするが、私にはその時間が永遠のように感じられた。あのとき以来、隅田川の屋形船以外の船に乗ったことはない。

というわけで、私はバスも船も嫌いだが、なかでもとりわけ嫌いなのは飛行機だ。ダントツで一番嫌いだ！　よく聞くセリフ、「あんな大きくて重い金属の塊が空を飛ぶなんて信じられない」は、私の思いを極めて正確に代弁してくれている言葉だ。きちんと数えたことはないが、これまで国際線だけでも百回以上はフライトしているが、乗る度に今度こそ墜落するのではないかという思いで怖い。飛行機が空港の滑走路に無事に着陸すると「また生き延びることができた」と安堵する。飛んでいるときはいつも、落ちないでくれとありとあらゆる神様に祈る。こんなときは、ブッダもイエスもアッラーも神社もお寺も関係ない。飛行中ガタガタと揺れ始めると冷や汗と共に黙って目を瞑る。そして痛いほど手を強く握ってしまう。胸ポケットに入れてあるお守り（妻子の写真）に手を当てる。まだ落ちた経験がないのは、それらが功を奏しているに違いない。そう信じている。

あるとき調査でエジプトに向かう途中、隣の座席に座った科学者に「この鉄の塊が空から落ちないのがいまだに信じられない」と話したことがある。そのときの彼の説明は、「飛行機はハチミツの中に浮かんでいるようなものだからそう簡単には落ちない」というものだった。その場では何となく納得はしたが、よく考えるとハチミツの中でも物は落下するし！　ゆっくりなだけで……。

Ｉ航空に乗った際に経験したことを最後に話そうと思う。これが私の経験した美しくもあるが、最高に怖い体験である。以前からパイロット技術に定評のあったその航空会社の便に乗ったのは後にも先にもそのときだけであった。早朝に空港を発ち地中海を横切って飛行するルートだった。テイクオフはスムーズに運び、順調な空の旅が始まったが、あと1時間ほどで空港に到着という頃に揺れだしたのだ。それほど高度は高くなかったはずだが、ガタガタと機体がきしみ始めたのである。もういけない。機内アナウンスが何かを叫んでいるが、よく聞き取れない。とりあえずシートベルトを締めてみた。周りも同じようにしている。笑い声は聞こえなくなった。みんなじっと固まったようになり、口をつぐんでいた。これはもしかして不味い展開ではないのか……。私は両腕を胸の前で固く組んで、歯を食いしばりうつむいていた。これだから飛行機は嫌なのだ。今度こそ落ちるかもしれない。

これまでに経験したことがないほどの揺れが続く。何度か無重力状態にいるかのように体が浮いた。夢の国のスペース・マウンテンに乗っているようだ。宇宙飛行士やブルーインパルスの方々は、この程度は平気なのだろうなと思うと、本当に尊敬する。小さな悲鳴が機内のそこかしこから聞こえてくる。恐怖を感じているのはどうやら私だけではないようだ。少し安心はしたが、揺れときしむような音は止まらない。もうすでに「揺れ」というレベルは明らかに超えている。どこかからゴンゴンと音がする。ガタガタと足元から嫌な音が聞こえてくる。もうダメかも。誰もが今にも飛行機が分解してしまうのではないか、翼が取れてしまうのではないかと戦々恐々とする中、それは突然始まった。一人の女性客が歌い始めたのである。聞いたことがあるメロディーだった。それに呼応するように彼女の周りを中心に歌声が幾つも重なりだした。強烈なタービュランスの最中、機内でアヴェ・マリアの大合唱が始まったのだ。ここで、この状況で讃美歌とは！　最終的には四、五十人ほどの乗客が声を合わせてアヴェ・マリアを歌ったのである。これほどこの世の終わりに相応しい音楽を私は知らない。機内にいる乗客のほとんどはキリスト教徒なのだろうと思う。目を閉じて静かに歌声を聞いている人もいる。感極まってか涙を流している人もいる。彼らはこのまま平穏な気持ちで天国への階段を登るつもりなのか。私は嫌だ。助かりたい。一人だけでも良いから助かりたい！　まだまだやりたいことがある。強くお守りを握りしめながら祈ることしかできなかった。何度目かのアヴェ・マリアの合唱の後、飛行機の揺れは収まった。しかしアヴェ・マリアは止まらなかった。飛行機がようやく空港に着陸し、車輪が滑走路をしっかりとつかんだとき、ようやく歌声は止み、機内は割れんばかりの大きな拍手に包まれた。私も拍手した。あちこちで熱い抱擁が、ハイタッチが、握手の場面が見られた。今回もまた生き残った。あのときのアヴェ・マリアのリフレインを私は一生忘れない。

30年ぶりの大嵐が砂漠にやって来た

雨が降らない国

2020年の3月にエジプトを訪れた時の話だ。数日前から嫌な予感はしていた。遺跡に立つとやけに風が強かったのだ。メイドゥム遺跡はナイル河西岸の河岸段丘の上にある。河の方から眺めるとまるで丘のようだ。風を遮るものは何もない。スネフェル王の崩れピラミッド以外には。しかしそれにしても強いのだ。エジプト名物ハムシーンの時期には少し早い気がしていた。それとも今年はもう「春の砂嵐」の季節が到来したのだろうか。メイドゥム遺跡の調査でドローンを飛ばす予定の日が近づいていたこともあり、自分でも多少神経過敏になっている感があった。エジプトではだいたい3月半ばくらいからハムシーンと呼ばれる砂嵐が吹く。視界がサンドベージュ色で閉ざされてしまうような日は、5メートル先も見えないほどだ。この20年ほどはないが、過去には私も経験している。中国大陸から風に乗って到来する黄砂レベルではない。大げさではなくゴーグルが欲しいほどだ。ハムシーンの最中に外出するとたまに亡くなる方もいると聞いている。だから決して侮ってはいけないのである。

「歴史の父」と称される「エジプトはナイルの賜物」と記した紀元前5世紀のギリシア人叙述家ヘロドトスは、エジプト西方砂漠に吹き荒れる砂嵐で全滅したペルシア軍について、自著『歴史』の中で以下のように書き残してくれている。

「……アンモン（シーワ・オアシス）の攻撃に向かったペルシア軍はテーベを発ち、道先案内人をともないオアシス（カルガ・オアシス）の町に到着したことは確実である。オアシスの町はアイスクリオン一族と称されるサモス人の支配する町で、テーベから砂漠を越えて七日の距離にあり、ギリシア語では「幸福の島」と呼ばれている土地である。ペルシアの軍隊がこの地に到達したことは伝えられているが、その後どのようになったのかについては、アンモン人自身と彼らから情報を伝え聞いた人々以外に知る者はない。ペルシア軍はアンモンに到着しなかったし、引き返したのでもなかった。このことについてアンモン人は次のように伝えている。ペルシア軍はオアシスの町から砂漠をアンモンに向かい、アンモンとオアシスのほぼ中間地点にたどり着いたとき、食事中に突如強烈な南風が吹き、砂漠の砂でペルシア軍を生き埋めにしてしまった。軍隊はこのようにして消滅したのである。」（ヘロドトス『歴史』第三巻二六節）

この話が歴史的事実かどうかを確かめることは難しいが、砂漠の過酷な自然環境とそこで猛威を振るうことのある砂嵐を甘く見たために軍隊全員の命を失ったペルシア王カンビュセス二世の浅はかさをヘロドトスは強調しているのだ。エジプト人は怖さを知っていたが、外国人であったペルシア人は知らなかったということだ。日本人である我々も彼らと同じ外国人である。よその国では謙虚であらねばと肝に銘じる。ヘロドトスは多くの教訓を現代の我々に残してくれているのである。

私は以前シリア砂漠で数十年ぶりという巨大な砂嵐に遭遇したことがあるので、その怖さは重々知っている。まるで映画のワンシーンのように遠くからこちらへと接近してくる砂嵐に向かって、宿舎の屋上からカメラのシャッターを切ったことを思い出す。砂嵐が宿舎を覆うとまったく視界が利かない暗闇が訪れたのだ。まさかエジプトでも同じような体験をすることになるのだろうか。心配になった。次の日の日中は、ギリギリ何とかドローンを飛ばせるくらいの強さの風であったが、その夜から雨をともなう嵐となった。砂漠の雨だ。砂漠に雨が降るなんて思いもしなかった（写真11）。

昔、若き王が人工的に砂漠に雪を降らせるマンガを読んだことを思い出した。これは私の知る砂嵐ではなかった。砂が舞う前に激しい雨がそれを叩き落とす。大嵐であり豪雨であった。ホテルの部屋のすべてのガラス窓がガタガタと激しく振動する。割れるのではないかと思うほどの勢いで雨がガラス窓を打ちつけ、同時に突風がグイングインと吹きつけ続ける。カーテンをしっかりと閉め、万が一ガラス窓が割れた場合に備えた。ここが本当にエジプトだとは思えない状況だ。「雨が降らない国」というのが、誰もが持つエジプトのイメージのはずではないか！ カーテンの隙間から稲光が見えた。何度も何度も見えた。少し遅れて雷が落ちる音も遠くから聞こえてくる。遠雷というやつか。そうこうしているうちに部屋が突然暗くなった。停電したのだ。昔は毎日のように停電する国だったが、ここ数年そんなこともなかったのに。夕食をすでに済ませておいたのが不幸中の幸いだ。

自然の脅威

しばらくすると部屋の外から大きな声が聞こえてきた。雷ではなく人間の声だ。打ちつけるような雨の音に混じって複数の男の声が聞こえてくるのだ。私を含む隊員たちが泊まるホテルの二階部分にある各部屋は、中庭にあるプールを取り囲むように三日月形に配置されている。部屋のドアを開けるとすぐそこは外廊下である。申し訳程度のひさしはあるが屋内ではない。つまり、雨が降れば水浸しになる。そして雨が降らないという前提でエジプトのホテルは設計・建築されているので、雨仕舞いは極端に悪い。水が上手く下に流れて行かないのである。日本の建築なら完全にアウトである。するとどうなるのかと言えば、部屋の中に雨水が流れ込んでくるのだ。そんなことは当たり前だ。声を上げていたのは、他の隊員たちと近くの建設現場で働くイタリア人たちであった。部屋が浸水していると騒いでいたのだ。手を翳《かざ》して雨風を

写真11　雨上がり直後のメイドゥム遺跡の崩れピラミッド

避けながら近づくと彼らの部屋には、結構な量の雨水が中まで入り込んでいた。エジプトとは思えない光景だ。これも地球温暖化の影響なのか？　アル・ゴア元副大統領はやはり正しかったのか？　これではみんなが騒いでも仕方がないなと思った。日本のホテルであれば、ホテルスタッフが申し訳ないという体で急いで処置をしてくれるであろうが、ここはエジプトである。ところ変わればだ。「インシャアッラー」＝「神のみぞ知る」の世界なのだ。エジプト人のホテルスタッフたちも宿泊客と一緒に大声をあげて右往左往しているくらいだ。これではどうにもならない。

嵐は一晩中続き、次の日もまた雨だった。仕事はお休み。まさかエジプトで雨のために調査が中止になるなんて思いもしなかった。常に雨模様のイギリスではあるまいし。雨が弱まったのを見計らって、車で現場に行ったが結局何もできなかった。雨だし、風だし、寒いし。ピラミッドの内部であれば、雨風が凌げると考え、メイドゥムの崩れピラミッドの中で計測をしようとしたが、停電で明かりが取れない……。ここで万事休す。次の日も雨が続いた。部屋に戻りテレビでニュースを観たが、エジプトでは30年ぶりの大雨・大嵐で、急遽全国一斉休日となったらしい。学校も役所も休みとなったのだ。エジプトという国が完全に機能停止したのである。日本人目線で見れば、あの程度の雨で国中がこんなことにまでなってしまうものなのか、という感じだ。首都カイロのインフラも雨対応ではないので、機能不全を起こしていた。道路がまるで川のようだった。人類は決して自然には勝てないということを今更ながら思い知る。自然とは上手く付き合うしかないのである。自然は脅威だ。抗っても仕方がない。そう言えば、エジプト出身の元関取の四股名《しこな》が大砂嵐であった。大嵐＋砂嵐なのである。大砂嵐とは、日本人が抱く感覚以上にエジプト人に恐怖を感じさせる四股名であったのだろう。不祥事により道半ばで帰国した彼は今どこで何をしているのだろうか。「インシャアッラー」である。

サハラ砂漠で遭難しかける

古代人の声に誘われて

「サハラ」とはアラビア語で「砂漠」を意味する言葉だ。だから「サハラ砂漠」とは、「砂漠砂漠」という意味になるのだ、といううんちくをたまにテレビ番組で耳にする。どうでも良い話だ。そんなつまらないうんちくを垂れる輩には、「お前なんかサハラ砂漠の砂に埋もれてしまえ」と言ってやりたい。そういう私に対して、「何てきつい奴だ」とか「パワハラだ」とかいう言葉が聞こえてきそうだが、そんな言葉はシャットダウンだ。なぜなら私は本当にサハラ砂漠の砂に埋もれてしまいそうになった経験があるからだ。

今が2023年ということは、もうあれから10年以上経過したことになるだろうか。私は生まれて初めてサハラ砂漠に立った。ただそれは北アフリカに拡がる広大な大サハラ砂漠の最東端に過ぎなかったが……。当時、エジプト西方砂漠に存在する岩絵が妙に気に掛かっていた。ピラミッドよりも王家の谷よりも断然興味を引かれたのだ。巨大過ぎるせいもあるであろうが、ピラミッドからは人間の姿が見えてこないと感じていた。人間が造ったはずなのにである。王家の谷も同様だ。あそこは今や観光客のための場所だ。彼らの歓声しか聞こえない。しかし、岩絵からはビンビンと古代人の声が聞こえて来たのだ。私の感性に訴えてきたのだ。それゆえ、まず自分の守備範囲を越えないエジプトの西方を目指した。以前からエジプトの西方砂漠地域のカルガ・オアシスとダクラ・オアシスには岩絵が残されていることを知っていたからだ。前者はその場所を訪れて、この目で確認することができたが、後者は結局発見することができなかった。地元の博物館でその場所の名前を出して尋ねたら、もう今は残っていないということであった。落胆した。文化財は、人類の記録と記憶は、消え去る運命にある。だからこそ昨今デジタルアーカイヴの重要性が叫ばれているのだ。

仕方がないと気持ちを切り替えて、もう一つの目的地を目指した。それは土漠の果てにある小さなオアシスに建てられた小さな神殿であった。論文でしかその存在を知らなかったのだが、なぜだか行きたくなってしまったのだ。古代エジプトの神アムンに捧げられた神殿（写真12）であった。

最寄りの舗装された道路（最寄りの駅ではない）から土漠に入り、そして砂漠に入り、道なき道をトヨタランドクルーザーで疾走した。三、四時間は走ったであろうか。途中迷いながらの到着であった。小高い丘の上に木が三本だけ立っており、脇にある草むらを手でかき分けるとその中には湧き水の出る小さな泉があった。そのすぐそばに神殿が控えていた。壁には見事なヒツジ頭のアムン神のレリーフが彫られていた。神殿のある丘の上からは、ただただ広いだけのベージュ色の砂と土の景色が望めた。それはそれで貴重な経験だ。滅多に来ることができない場所（いや今後来ること

写真12　オアシスの中に建てられた小さな神殿

もないであろう場所）であることが確実であるため、ゆっくりと時間を掛けて神殿の周りを散策してみた。同行のN大学のT先生と私の教え子のA君は、さらに丘の上の方に登って行った。私は神殿を優先した（正直疲れていたし……。車が苦手で少々酔っていたし……）。エジプト人ガイドとドライバーの方もぐったりして木陰で座っていた。

こんな辺境に良くもまあ神殿なんかを建造したものだ。信仰心というもののもの凄さを感じた。でも当時はもっと緑も水もあったのであろう。人もたくさんいたに違いない。今はもう彼らの声は聞こえない。宗教も違う我々日本人と現代エジプト人の五人だけだ。イヌやネコですら周りに見かけない。古代の遺跡を独占するという意味では気分は良かったが……。

忠告には耳を貸すべき

いつもの癖で下を見ながら歩いていると貝の化石を発見した。考古学者の性というか、習慣というか、どこの国のどの遺跡を歩いていても、下を見ながら何か落ちていないかと探してしまう（そしてたいてい何かを見つけてしまう）。貝の化石があるということは、この場所が太古には海であったことの証である。化石を幾つか拾うことができた（真面目な考古学者からはお叱りを受けるかもしれないが、私は土器よりも断然化石の方が好きだ！）。しかし、この数時間後に事件が起こるのだ。全員が油断していたのであろう。遺跡を堪能して車に乗り、最寄りの道路を目指したまでは良かったのだが、こともあろうにドライバーが道に迷ってしまったのだ。まさかの展開に少し動揺したが、ここはエジプト、まあ何とかなるだろうと高を括っていた。しかし、どこまで走っても同じ景色が続くだけだった。いや、時間が経過するにつれ、低木すら消え失せ、硬い土よりも砂の割合が多くなってきていた。まさにここは砂漠であった。何度か砂の山を乗り越えながら進んでいると、すとんと突然周りを360度砂山に囲まれてしまったのだ。なぜだかわからないが、すっぽりと穴の中に入ってしまったような感覚であった。視界に入って来る周りの景色はすべて砂色なのだ。

テレビのドキュメンタリー番組で車のタイヤが砂漠の砂にめり込み、スタックして空回りし、動けなくなる映像を観たことがあるが、それとは違っていた（次の年にサハラ砂漠のど真ん中でそういう目に遭うが……）。小さな盆地の中にいるような、深皿の底にいるような感覚だ。そしてそこから見上げているような。ドライバーは何度も脱出を試みるが、砂山を乗り越えることができない。少し前にはまったく感じなかった彼の焦りが伝わって来る。これは不味いことになったと私も感じ始めた。そこで思い出したのだ。砂漠を車で走破するときの鉄則は、「一台ではなく、必ず二台で行くこと」だということを。完全に油断した。後悔先に立たずだ。携帯電話の電波も通じない。圏外だ。夕方を迎えていたので、灼熱の太陽で干からびてミイラとなる心配はないが、このまま夜を迎えれば気温が一気に二十度は下がるので危険である。とにかく今できることをやろうということで、全員が荷物を持って車を降りた。単純な作戦だが車体を軽くしようというわけだ。何度かトライした後、ようやくランドクルーザーは砂地獄から抜け出た。遭難は免れた。砂漠で遭難した無知な大学教授として、カイロの日本大使館で謝らずに済んだ。ほっとした。

この経験からその後二回T先生とリビア側のサハラ砂漠で岩絵の採集調査を実施した際には、ランドクルーザーを二台用意した（そして衛星電話も）。サハラ砂漠の本丸に攻め込んだこともあり、毎日のように砂漠の砂にスタックしたが、そんなときはもう一台の車にワイヤーをつないで引っ張ったりして乗り切った（写真13）。

やはり鉄則は守るべきだと痛感したことを覚えている。人の忠告には耳を貸すべきだ。当たり前なのだがどんな規模の砂漠でも侮ってはいけない。まともにやりあっても人間は自然に勝てないのだ。リビア側のサハラ砂漠を大サハラ、あるいは「砂の海」と呼ぶのなら、エジプト

写真13　砂漠の砂にスタックしたランドクルーザー

側のサハラ砂漠は小サハラ、あるいは「砂の池」程度だ。その砂漠の池で我々は溺れそうになったのだから。

この話を書き始めた本日3月29日の夜に帰宅すると自宅にイチゴ（Ichi-Rin 苺稟の越後姫）が一箱届いていた。誰からだろうと宛名を確認すると砂漠友達であるN大学のT先生であった。こういうのを「虫の知らせ」というのであろうか。あれからサハラ砂漠には行っていない。

1日の発掘スケジュール

エジプト・シリア編

6:30 起床。個々の研究時間および身支度。

7:00 宿舎で朝食（パン…エジプトのパンのエイシと普通の薄切り食パン、バター、ハチミツ、ジャム、コーヒー・紅茶、卵焼き、ヨーグルト、キュウリ、トマト、チーズ、たまに豆のコロッケであるターメイヤ）。

8:00 出発前に打ち合わせ、仕事の確認、車に乗って発掘現場へ向かう。運転は現地のエジプト人ドライバー。車（4WD）はそのドライバーの持ち物でレンタル料も支払っている。

9:00 遺跡のオープン時間に合わせて、中に入り調査場所に向かう（もちろん早めに開けてもらうこともあり）。

9:30 発掘作業開始。
①スコップやジョレンなどで地面を掘る。というか砂を運び出す。
②現地作業員による砂の運搬。
③遺構（地下墓、墓につながる竪坑など）の検出（すでに地中レーダーで確認している場所を掘ってみる）。
④デジカメで写真を撮る。
⑤発掘した遺構や出土した遺物の状況を図面に記録する。三次元レーザースキャナーがあればデータを取得する。
⑥埋まっている遺物を取り出す。遺物は出土したときの日付や場所などの諸情報をラベルに書いて、袋やケースに詰める。
⑦倉庫に運び込む。

13:00 発掘作業終了。

13:30 宿舎に戻り昼食。メニューから各自食べたいものを選ぶ。例えば豆のスープと焼き野菜とコフタとか、マッシュルームスープとピザマルゲリータとか、シーザーサラダとスパゲッティナポリタンなど。

＊仕事が押している場合は現場でランチボックスを運んでもらい食べる。

14:30 シャワーを浴び、休憩。

16:00 各自データの確認、図面の製作、遺物の実測。

19:00 夕食。夕食後はコーヒーを飲みながら、ホテルのスタッフと話したり、サッカー中継を見たり、現地の人々と交流するなどして過ごす。

21:00 各自整理作業、図面作成、データ解析、報告書作成。

22:00 就寝（各自のペースで就寝）。

２０００年くらいのときの調査では二か月とか平気で行くこともあったが、現在は長期で海外に滞在することはほぼ不可能なので、行けるとしても二、三週間くらいだ。実測だけで発掘がなければ五日間で帰国することもある。

　食事は三食宿舎にお願いしてあり、もちろんイスラムなのでアルコールなし。

　午前と午後に現場作業を入れていても、気温が四十度を超えることもあるので、暑すぎる日は午前中で終了することもある。あるいは午前中の作業を早めに切り上げ、気温の下がった夕方に続きを行うことも……。

　作業時間は季節によって異なり、さらに作業内容も毎日違うので、一番ありがちな流れを書いた。

怖い目にあった話2

中国の発掘調査

角道亮介

「なぜ中国の考古学を研究しているのか」と聞かれれば、

「おもしろいから」としか答えようがない。私は中国の考古学が世界で一番おもしろい学問だと信じている（ただし、ほかの専門分野を本気で研究したことがないのでそれが本当かどうかを検証することはできない）。しかしそれではあまりにも説明責任を果たしていないので、自分のことに少し紙面を割くことをご容赦いただきたい。

私はいわゆる典型的な考古ボーイ（遺物の収集や遺跡の踏破に情熱を注ぐ少年）ではなかった。実家に帰っても、押し入れの中に大量の黒曜石や縄文土器の破片が詰まっているわけではない。古銭を集めてカタログを作っていたわけでもない。歴史は全般的に好きだったが、より好きだったのは冒険である。絶海の孤島・人の住まぬ山岳・ジャングルの奥地など、秘境を歩くことにはロマンを感じていた。幸い外歩きは好きだったこともあり、高校時代は山岳部に所属して様々な山に登り、冒険気分を満たしていた（なお、山岳部の時の経験や装備は今でも大いに役立っている）。中学生のころには発掘というものに漠然とした興味があったが、その対象が遺跡なのか、恐竜なのか、それを深く考えたことはなかった。

そんななか、最初の転機は、高校生の時に開催された「世界四大文明」展を見に行ったことであった。この展覧会で触れたエジプト・メソポタミア・インダス・中国という四つの文明の、素晴らしい考古資料を目の当たりにして、外国の考古学を学ぶことを強く意識した記憶がある。大学時代には西アジアを研究するか中国を研究するかで紆余曲折があったものの、最終的にはおどろおどろしい形をした中国の青銅器に惹かれ、中国の研究を志すこととなった。

大学生のころ、中国には何度か行ったが、いずれも観光旅行の域を出ないものだった。中国考古学を一生の仕事にしようと思った第二の転機は、大学院生時代に恩師に連れて行っていただいた中国の発掘現場を見たことであったように思う。日本の発掘現場もおもしろいのだが、とにかく中国は広い。スケールが違う。遺跡の単純な広さでも、出てくる遺物の量でも、とにかくすごい。よく言えばおおらか、悪く言えば大雑把な日々の生活も、たいへん馬の合うものだった。このような中国大陸の懐深さに惹かれ、気が付けば毎年のように発掘現場へ行くこととなった。それでもすべてを知ることなどとてもできない。それが中国の広さである。

広大な中国をフィールドにして、「怖い」と思ったことはたくさんある。ただ、「怖い」ことと「おもしろい」ことは、どちらも未知への不安と期待であり、裏表の関係にあるように思う。怖い思いをした分だけおもしろくなる、それこそが考古学のもつ最大の特徴であり、魅力であると信じる。考古学はロマンだけでは食べていけないが、ロマンのない考古学なんてつまらない。なぜだかうまく説明できないけれど、心を動かし惹きつける強い思いをロマンと呼ぶならば、私にとってのロマンとは恐怖と同義である。知らない街を、国を、自分の目で見てみたいという欲求があれば、まだ見ぬ「怖さ」を期待する心があれば、誰でも考古学のスタートラインに立っているのではないだろうか。そんな軽い気持ちで、次頁からの「怖い」話をぜひ楽しんでいただきたい。

墓の中に閉じこめられた話

中国語に悪戦苦闘

現在の経済的な結びつきの強さに反して、戦後の政治体制の違いから、かつて中国は「近くて遠い国」と呼ばれていた。第二次世界大戦の敗戦によって日本の考古学界が中国大陸におけるフィールドを失うと、それまで盛んに行われていた中国考古学の研究は長らく下火となる。国交が回復する前にも民間の文化交流事業は行われていたが、一般人にとって発掘はおろか入国すら難しい時期が長かった。国交回復後、日本からの留学生の受け入れは1980年代から徐々に始まり、同時に中国から日本へやってくる留学生も増えていった。日中で交流を深めた青年考古学者たちがやがてそれぞれの学界をリードする立場になり、2000年代には非常に活発な学術交流が起こったのである。残念ながら、現在の中国で考古学を志す若い学生たちは、留学先に日本ではなくアメリカやイギリスを希望するらしい。大変さみしいことだ。

私が中国に留学したのは２００７年から２００９年の2年間、大学院博士課程のことである。つい最近まで留学していた気がするが、すでに10年以上が過ぎ、ひと昔前のことになってしまった（なお、ここ10年程の中国の経済発展と社会の変化はすさまじく、言葉通りに「ひと昔」である）。

大学院修士課程の2年生の夏ごろ、博士課程に進学しようと思った。中国の発掘現場がおもしろかったということもあり、博士課程で専門的に研究を深めようと考えたのである。同時に、中国語の能力の面でも、実際の遺跡や遺物への理解の面でも、圧倒的に知識と経験が不足していることを実感していた私は、博士課程進学と同時に留学しようと考えるようになった。当時、最も待遇の良い留学制度は、中国政府が募集する国費留学生の制度だった。翌年3月に行われる選抜に合格すれば、9月から留学が可能となる。12月に大変苦労しながら修士論文を提出し、2月に博士課程進学の試験を何とかパスした私は、そのまま国費留学生の試験準備に取り掛かった。といっても、たかだか数か月程度で中国語能力が劇的に上がるはずもない。大学一年生の時の中国語の教科書を引っ張り出して悪戦苦闘しながら、同時に留学中の研究計画を考えるという忙しい日々が始まった。

当時、博士課程の学生が国費留学生として採用されると、「高級進修生」という立場で留学することになっていた。高級進修生は一種の研究生であり、留学の目的は学位の取得というよりは、自身の研究を深めることにある。したがって、申請時に十分な研究計画が求められる。私は中国の西周《せいしゅう》時代を主な研究対象にしようと考えていたので、西周の遺跡を現場として持っている北京大学への留学を迷わず希望した。もちろん、希望すれば通るというものでもないが、研究計画と希望先の大学が一致しているほど印象は良い。ろくに中国語もしゃべれないのに、とにかく研究計画書を書き上げ、その時たまたま訪問学者として日本にいらしていた北京大学の考古学の先生（その前年に北京でご挨拶をしたことがあり、面識があったのが幸いした。コネクションは大切である）に計画書の中国語訳をチェックしていただくことで、何とか形だけでも申請の準備を整えた。願書提出時に健康診断書に添付するレントゲン結果を家に忘れて顔面蒼白になり、あるいは面接試験の日に会場を間違えて遅刻しそうになるなど、様々な困難を乗り越えて、3月末に私はなんとか国費留学生に採用してもらえることになった。面接時に中国語がほとんどしゃべれずしどろもどろになる私に、面接官の先生がやさしく誘導尋問をしてくださったことは今でも鮮明に覚えている。

8月末、留学へ向かう私のために、当時、私の指導教授を務めてくださっていた恩師がささやかな送別会を開いてくださった。その時にいただいた言葉が忘れられない。留学中に何に最も力を入れるべきかうかがった私にたいしての、「中国人の友達をたくさん作ること、発掘調査に少しでも長く参加すること、可能な限り中国各地を歩き見聞を大いに広めること」という教えである。信頼できる仲間と、現場経験と、広い見識。今考えても、これは考古学の本質だと思う。私はこの玉言を「授業なんか出なくてもよいから、現場と各地の遺跡を見て来なさい」という意味に理解し、恩師の言葉を胸に刻みつつ、２００７年９月、北京大学の門をくぐった。

有名なボロ学生寮

当時の留学生宿舎は大学構内にある「勺園《しゃくえん》」（写真①）という建物だった。今ではもう留学生宿舎としての役目を終えたこの宿舎は、当時からオンボロ宿舎として一部には有名であった。外国人留学生は二人一部屋、机とベッドだけが備え付けられたシンプルな部屋であり、私物を置けるスペースは机の棚ぐらいしかない。エアコンは設置禁止なので夏は地獄の暑さとなり、廊下の一角にあるゴミ捨て場からは饐《す》

北京大学の留学生宿舎である。いくつか室外機のついている部屋が見られるが、これはエアコン設置禁止という御触れが出る前に先駆的にエアコンを設置したために、例外的にエアコンがある当たりの部屋である。残念ながら私の部屋にはなかった◀

えたにおいか強烈なクレゾールのにおいかのどちらかしかしない。洗面所では保《バオ》安《アン》（警備員）のおじさんが足を洗っている。有志で洗濯機を買い、洗面所に設置して共有するのだが、知らないうちに知らない誰かが使っている。後半は施設の問題というよりも個人の問題のような気がしないでもないが、とにかく勺園は強烈な個性を放つ宿舎であった。留学中に訪問した各地の大学の留学生宿舎に個人的に星付けをしたことがあるが、勺園が下から一位であったのは言うまでもない。ただ、贅沢を言ってはいけない。当時の一般の国内学生の宿舎は、4人部屋・6人部屋は当たり前、部屋でお湯を沸かすこ

写真1　ボロ宿舎、勺園

とができないので給湯所に魔法瓶をもって朝夕並ぶ、シャワーのために別棟に行かなければならない、という、より過酷な環境であった。外国人は恵まれていたのである。なお、1980年代前半に留学された先生たちのお話を伺うと、当時は先進的で立派な宿舎であったという。30年という月日の長さを実感する。

共同生活で問題になるのは、睡眠と食事である。同じ日本人留学生の中には、相部屋の留学生が夜中に仲間を呼んでパーティーを始めるなど、生活リズムの違いに大いに悩まされた人もいる。私の場合、相方は韓国からの留学生で生活のスタイルもあまり変わることもなく、たいへん平和な二人暮らしであった。冷蔵庫のような大型の家電は、前代の日本人留学生から引き継がれる貴重な財産である。スペースの関係で廊下に冷蔵庫を置かざるを得なかったのは苦にならなかったが、食べ物が頻繁になくなるのには閉口した。共用のキッチンには2台のIHヒーターがあるのみで、いつ行ってもたいてい誰かが利用していた。私は早々に自炊を諦め学食に頼る留学生活を始めたわけであるが、数ある学食のなかでも「学五食堂《がくごしょくどう》」は特別であった。ここには「経《ジン》済《ジー》菜《ツァイ》」と呼ばれる特別メニューがあり、その価格はなんと1・7元、当時の日本円にして30円弱である。貧乏学生にとってはその金額はたいへん魅力的であった。味は魅力的ではなかったが。このような素晴らしい宿舎生活は、しかしながら、留学直後に終わりを告げる。

謎の電話

当時、私は北京より遥か西、陝西《せんせい》省の遺跡見学のために2週間ほど宿舎を離れる調査旅行の計画を立てていた。北京大学の指導教授から、居留証の手続きが終われば遺跡の見学に来るように言われていたためである。周公廟《しゅうこうびょう》遺跡と呼ばれるその遺跡は北京から夜行列車に乗っておよそ半日、西安市から車で2時間ほどの位置にある。ここは西周時代の大墓がいくつも見つかった遺跡であり、私の専門ど真ん中の遺跡でもある。この時、私の日本の恩師の一人がちょうど周公廟遺跡の調査にいらっしゃっていたため、その調査期間にあわせて遺跡見学に行こうと思ったわけである。その時はまだ、留学最初の調査旅行だと期待に胸を膨らませていた。

出発の前々日、恩師の調査に同行して先に現地に入っていた先輩から電話があった。「詳細は伏せるが、冬物の衣類の準備をしてきた方が良い」という謎の電話である。時は9月、内陸部の遺跡とはいえ、マフラーや手袋が必要になる季節ではない。訝《いぶか》しんでその真意を尋ねても、「来ればわかる」としか教えてくれない。居留証の手続きを終えた私は、とりあえず素直に冬物をスーツケースに詰めながら、一抹の不安とともに北京を出発した。私は知る由もなかったが、指導教授と恩師の首脳会談によって、この時すでに私の留学生活の命運は決まっていたのである。現地到着早々に指導教授から言い渡されたのは、「春節を迎えるまでの五か月間、この現場に入りなさい」というありがたいお言葉だった。発掘現場に入ることはやぶさかではないが、まさか半年近く北京を離れるとは思っていなかった。扇風機も買ったばかりだし、相部屋の彼にもろくな挨拶もしていない。心の準備ができていない。なにより語学が全くダメなので、まともな中国語もしゃべれない。指導教授も北京に戻るので、現地に知り合いは一人もいない。大丈夫か。留学早々の「下放《かほう》」生活は、こうして突然始まった。

実現不可能なミッション

通常の発掘現場では大学の教授や研究所の研究員といった研究者が責任者として発掘を取り仕切るわけだが、忙しい先生たちはずっと現場に張り付いているわけではない。実際には技工《ジーゴン》と呼ばれるプロの発掘屋さんたちが研究者の手足となり、作業員として雇われた地元の農民（民工《ミンゴン》と呼ばれる）を指揮しながら調査を進めることになる。私が参加した2007年の周公廟遺跡の現場も同様で、技工・民工のほかには似たような立場の大学院生が2～3人いるのみであった。これらのメンバーが工作站《こうさくたん》と呼ばれる宿舎兼作業場兼倉庫に寝泊まりしながら、半年近く遺跡発掘にあたるのである。今となっては良い思い出だが、この経験を通じて中国の発掘調査の概略をおおよそ知ることができたのは大きな収穫であった。

日本と中国の発掘方法には、同じところもあれば異なるところもある。大きな違いの一つは、「誰が図面を描くのか」という点だ。日本の考古学者は、基本的にはすべての図面を自分で描く。遺跡の平面図から遺物の出土状況の図、個々の土器の実測図など、ある意味職人的な技術で図面を描くわけだが、中国では遺跡や遺構の図面は考古学者が描く一方で、土器や石器の図面はプロの絵師さんが描くことも多い。場合にもよるのだが、中国の方がより分業的だともいえる。このあたりの違いを中国の研究者もよく知っていて、「日本で考古学を学んだのならば、きれいな図面が描けるはずだ」というプレッシャーを我々はよく受けることになる。全く関係ない話だが、中国の研究者には字が上手な人が多い。署名をするときに、並んで書くと自分が恥ずかしくなるほど、字の上手な人が多い。われわれ日本人も、「中国人研究者ならば、きれいな字を書くはずだ」という無言の圧力を知らないうちに与えているのかもしれない。

11月、私にもその図面作成能力を発揮すべき場がやってきた。当時、墓地の発掘は佳境に入っており、地下10メートルほどの深さに掘られた大きな墓室からは、青銅器や漆器《しっき》、貝製品など、貴重な遺物が次々に出土していたところだった。問題はこれらの遺物の保存状況が悪く、取り上げたら原形がわからなくなりそうなくらいに脆くなっていたことであった。このような場合、遺物を取り上げる前に詳細な図面を残さなければならない。現場の視察に来た指導教授から墓室の図面をとるように指名された私は、日ごろの発掘での遅れ（主に中国語が下手なことに起因する）をとり戻すべく、鼻息を荒くして地下の墓室に乗り込んだ。

墓室内の遺物の出土状況を図面化するにあたり、問題は二つあった。一つは作成する図面の縮尺が実寸大であったことである。つまり、20平方メートルの墓室の図面をとるためには、20平方メートル分の方眼紙が必要になるのだ。もちろん全てにまんべんなく書き込みが必要なわけではないが、実寸大での遺構の図面などとったことのない私には、たいへんな労力である。もう一つの問題は、その日の作業が終わるまでに完成させるという時間制限があったことである。やったことのない大作業を、当日中に終わらせる、これは実現不可能なミッションのように思われた。思われたが、やるしかない。

私は方眼紙の束を脇に抱え、地下の墓室に下り作業を始めた。11月も下旬になると底冷えのする寒さである。幸い、10メートルも地下に潜ると風もなく日中の寒さはそこまで気にならなかったが、今度は地上の声が聞こえない。作業内容も一人で黙々と図面をとり続けるだけなので、完全に無音の孤独な作業である。日が昇っている間はまだよかった。民工が自宅に帰る夕方になっても作業は終わらず、図面をとり続ける。18時を過ぎるともはや陽は差さず、手持ちの懐中電灯の明かりだけが頼りであった。結局、図面は20時過ぎに完成した。描き終えた図面を照らし、時間のないなかではそれなりによくできたのではないかとひとしきり自賛したうえで、いざ墓から出ようとしてふと気づく。出入口が閉まっている。大型墓の発掘中は、夜間の盗掘を防ぐために出入口に木の蓋をするのだが、もちろん中に人がいるときは蓋を閉めない。どうやら、先生や技工たちは私のことを忘れて工作站に帰ってしまい、そうと知らない守衛のおじさんが出入口を閉めてしまったようだ。これはまずい。

おじさんが泊まるテントは墓から遠い（写真②）。墓の中から大声で呼びかけても一向に反応はなく、しかもよりまずいことに守衛のおじさんは耳が遠そうだった。携帯電話も電波が入らない。月のない真っ暗闇の夜、まったく音のしない地下の墓、という状況もなかなかのものだったが、より切実だったのは寒さである。夜になると凍るような寒さが押し寄せ、このまま朝を迎えるまでに凍死するのではないか……という不安が胸をよぎる。寒さに気づくと今度はトイレに行きたくなってくる。これは我慢するしかない。我慢できなくなったら蓋を破壊する方法を考えよう。

結局、それから1時間後くらいに私は外に出ることができた。守衛のおじさん

写真2　遺跡を守るテント

が気づいて蓋を開けてくれたからである。私のことをすっかり忘れていた工作站のメンバーが車で迎えに来るまでの間、おじさんのテントで暖をとりようやく生き返ったわけだが、墓から出てすぐ、真っ先にトイレに行ったのは言うまでもない。私はそれどころではなかったが、あの状況で霊感の強い人であれば何かが見えたりしたのだろうか、と今になって思わないでもない。しかし私にとってよりミステリーなのは、必死に図面をとったあの墓の報告書がまだ刊行されていないことである。私の図面がまずすぎて世に発表できないのだとすれば、これほど恐ろしいことはない。

空を飛ぶものは飛行機以外、四本足のものはテーブル以外

果敢なる挑戦

さて、食事の話である。「中国人は空を飛ぶものは飛行機以外、四本足のものは

大規模な現場には盗掘を防ぐための見張りとして、テントが設置され守衛のおじさんが配置される。私はこの遺跡で墓に閉じこめられ、あやうくいろいろ危険なところであった▶

テーブル以外、なんでも食べる」という言葉がある。これはもちろん誇張表現であるが、日本人から見れば中国料理の食材の豊富さ、調理方法の多様さには目を見張らざるを得ない。自分だけのおいしい料理を「発掘」することも、中国の楽しみ方の一つだろう。

世界三大料理の一つにも数えられる中華料理であるが、広大な中国のこと、「中華料理」と一言で言えるほど、中国の料理は一様ではない。北京料理・上海料理・四川料理・広東料理、数え上げれば枚挙にいとまがないが、各地の料理は味も調理方法も千差万別である。当然、北京ダックは広東料理を出す店には置いてないし、上海料理の老字号《ラオズハオ》（名店）で麻婆豆腐を注文することも不可能である。私が初めて中国旅行をしたのは大学二年生の時であったが、北京料理の店で四川料理の棒々鶏《バンバンジー》と回鍋肉《ホイコーロー》を注文し、店員さんを困惑させたことがあった。なぜメニューにないのかと当時は憤慨したものだが、今考えればとんでもない筋違いである。

このように中国料理は一言で言い表せないほど多種多様であるが、南方の沿岸部では比較的やさしい味が多いのに対し、北方や内陸部は濃い味付けや辛い味付けの料理が多い傾向がある。本場の麻婆豆腐は長江上流の内陸部に位置する四川の料理であるし、おとなり重慶の火鍋も辛さで有名である。南方であっても内陸部の料理は辛く、湘菜《シャンツァイ》と呼ばれる湖南《こなん》料理は「酸っぱくて辛い」ことで知られている。湖南料理の辛さは四川料理に引けをとらないが、日本ではそこまで知られていないように思われる。中国で湘菜のお店に入るときは、辛党以外は十分注意が必要である。私の研究の主なフィールドである陝西省は黄河流域の内陸部、いわゆる黄土《こうど》高原に位置するが、この辺りは唐辛子と山椒を使った料理が多く、香菜《シャンツァイ》と呼ばれるいわゆるパクチーも香りづけに多用される。日本人の口に合うかといえば、必ずしもそうではないようだ。特に山椒は激烈で、一見すると全く辛くなさそうな炒め物の中に信じられないほどの山椒の実が隠されており、口中が山椒の辛さで麻痺に陥ることもしばしばである。ただし慣れとは恐ろしいもので、今では山椒の刺激がなければ内陸に来た気がしないほど、好んで食べるようになってしまった。

日本人の口に最も合う中国料理は、間違いなく西紅柿炒鶏蛋《シーホンシーチャオジーダン》（番茄鶏蛋《ファンチエジーダン》）だろう。これはトマトと卵を炒めただけのシンプルな料理だが、穏やかな風味が胃にやさしい、万人向けの味である。中国では非常にポピュラーな家庭料理で、老若男女問わず誰でも作れる料理である。普段はまともな料理などしない私もこれだけは作ることができる。とにかく自己主張せず落ち着いた味なので、日本人同士の食事でも「はずれのない味」としてテーブルに並ぶことも多い。ただし、それは言い換えれば無難ということでもある。留学を終えて帰国した際、恩師や研究仲間とともに中華料理を食べに行ったことがある。留学の成果を発揮する場所だと意気込んで、得意げに西紅柿炒鶏蛋を注文したところ、恩師が思わぬ苦言を呈された。「誰からも文句を言われないために、無難な西紅柿炒鶏蛋を注文したのだろうが、研究者はそれではいけない。易きに流れず、果敢に挑戦すべきである」と。これを聞いた私は、研究とはなんと奥深いものか、まだまだ修行が足りないと実感し、大いに感ずるところがあった。恩師がトマトをあまりお好きではないことを知ったのは、だいぶ後になってからであった。

麺の科挙試験

さて、中国のご当地メニューといえば麺であろう。基本的に麺は北部の主食であるが、南方でも様々なその土地ならではの麺料理が存在する。北京の炸醤麺《ジャージャンミエン》や四川の担々麺《タンタンメン》などは日本でも有名だが、それ以外にも山西《さんせい》省の刀削麺や河南《かなん》省の烩麺《フエイミエン》、湖北《こほく》省武漢《ぶかん》の熱干麺《ルアーガンミエン》など、名物麺を食べ歩くのも中国料理の楽しみ方の一つである。

私のきわめて個人的な独断によれば、日本人の口に最も合う麺料理は、新疆《しんきょう》ウイグル自治区の名物、拌麺《バンミェン》（中央アジア諸国ではラグマンと呼ばれる）に相違ない。拌麺はいわゆる皿うどんのような料理で、コシのある太麺と羊肉や玉ねぎ、ピーマンなどを炒めた郷土料理だが、これが驚くほどおいしい。特に地元の新疆ビールと一緒にいただく拌麺は信じられないくらいおいしい。これから新疆を旅行される方は、騙されたと思ってぜひ毎日拌麺を食べていただきたい。地元のウイグル族の方々はほとんどが敬虔《けいけん》なイスラム教徒なので、アルコールをとることはない。食堂で新疆ビールを飲むことに一抹の後ろめたさを感じながら、しかし抜群の相性に感動すること確実である。

麺といえば、印象深い思い出がある。２００９年の5月のこと、私は留学仲間のU氏と中国南方を旅行する機会を得た。その時の旅の最終目的地は雲南省《うんなん》であった。雲南省は中国でも最南西に位置し、標高が高いため南方にもかかわらず気候はやや涼しい。南部ではミャンマーやラオスとも国境を接する、国際色豊かな土地である。その雲南省の名物に「過橋米線《かきょうべいせん》」と呼ばれる麺料理がある。米線とは米粉を麺状にしたいわゆるビーフンのことで、熱々のスープに鶏肉・野菜・ビーフンを入れて食べる一種の煮込み料理といえよう。雲南省の省都である昆明《こんめい》の博物館を見学した日の夜、せっかく雲南に来たのだからと我々は過橋米線を食べることにしたのである。市内の米線専門店に行くと、メニューにずらりと過橋米線が並ぶ。具材やスープの種類によっていろいろな味付けになるのだなと感心していると、とあるものに目が留まった。「過橋米線・秀才」「過橋米線・進士《しんし》」「過橋米線・状元《じょうげん》」という三つの看板メニューである（写真③）。

　このメニューの意味を理解するには、過橋米線の由来から説き起こさねばならない。かつて雲南に優秀な男がいた。彼は湖の中に建つ東屋《あずまや》で日々勉学に励んでおり、食事も常にこの東屋でとっていたという。彼の妻は夫のための食事を毎日

写真③　過橋米線・秀才

米線はスープが熱々のうちに具材をたくさん入れて煮込んで食べるのが良い。写真ではスープに香菜が乗っているが、嫌いな人は注文時に「不要香菜（香菜抜きで）」と忘れずに伝えよう▶

届けていたが、橋を渡って東屋にたどり着くころには料理は冷めてしまっていたという。ある日、鶏肉のスープに米線を入れた料理を作って届けたところ、表面に浮いた鶏の油のおかげでスープは冷めることなく、温かい料理を食べた夫は大変喜び、勉学も大いにはかどった。のちに夫は官僚試験である科挙《かきょ》に見事合格したという、以上が、過橋米線の由来だそうだ。「秀才」は地方試験を突破し、科挙の受験資格を得た人に対する呼称であり、「進士」は最終試験に合格した人、「状元」というのは最終試験にトップ合格した人を指す。過橋米線が科挙試験と結びついた背景を持つからこそのメニューなのであろう。

　私は熟考した。メニューは秀才・進士・状元の順に高価となり、対応するように入れる具材も豪華になってゆく。貧乏留学生には状元の値段はなかなか安くない出費であるが、遠く昆明まで来たのだ。せっかくなら豪華な米線を食べようかと思い、「過橋米線・状元」を注文しようとした。が、一緒にいたU氏が首を振りながらこう言うのである。「僕たちは志をもって留学しているが、研究者としてはまだまだ駆け出し、科挙でたとえれば地方試験すら受かっていない。いまここで、状元を食べてよいものか。今は秀才を食べ、いつか研究者として大成したら状元を食べに来ようではないか」と。U氏の力説に妙に納得した私は、後ろ髪を引かれる思いがしつつも、過橋米線・秀才を食べた。秀才でも十分おいしかったが、まだ知らぬ状元の味が気になって仕方がなかったのも事実である。その後幸運にも、私もU氏も研究を続けることのできる職業に就いた。今なら進士くらいは注文を許してもらえるだろうか。

強烈な珍味

基本的に何でも喜んで食べる私であるが、時には難敵と出会うこともある。臭豆腐《しゅうどうふ》である。揚げ豆腐を非常に特徴的なタレに付け込んで作る屋台の定番メニューであるが、日本人にはすこぶる評判が悪い。その原因はタレの臭いであって、端的に言えば「ドブの臭い」「古い公衆便所の臭い」であろう。これは誇張ではない。通りを歩いていると、風に乗ってふとアンモニア臭がする。このとき周囲を見渡せば、ほぼ間違いなく臭豆腐の屋台を見つけることができる。それくらい強烈な臭いがするのが臭豆腐であり、中国の屋台を攻略する際の関門でもある。私も最初のうちは臭豆腐の臭いに

北京の王府井小吃街にて。サソリ・ヒトデなど、一通りのゲテモノはここで見ることができる。庶民の食事というよりは、インパクト狙いの珍味といった感じであるが。ちなみにサソリは殻っぽくて可食部が少なく、私はあまり好きではない▶

写真4　サソリの素揚げ

はなかなか慣れることはできなかったが、しかし食べてみるとこれが思いのほか、というよりかなりおいしいことに気が付いた。湖南省の省都である長沙《ちょうさ》市に行った時のこと、友人一家に誘われて、地元でも有名な湖南料理の店に連れて行ってもらった。そこの名物が臭豆腐で、うまいから食べろと一家総出でお勧めされたのである。断ることもできず、強烈な臭いを放つ臭豆腐を覚悟とともに口に入れたところ、殺人級に臭いタレは甘辛の絶妙なソースに変貌した。これは衝撃的な経験だった。以降、臭豆腐は私の好物になった。たくさん食べるようになるとわかってくることもある。安い屋台の臭豆腐は、口に入れても臭い臭豆腐のままであった。なぜだろうか。謎である。

　食べられなかったものもある。山東《さんとう》省の省都、済南《さいなん》市に調査で行った時のこと、地元の研究所の所長さんに歓迎の宴会を開いていただいたことがある。そこでもてなしの地元料理として食卓に並んだのが、昆虫の素揚げであった。先に断っておくと、私は昆虫料理にあまり抵抗はなく、イナゴの佃煮や蚕《かいこ》の唐揚げや、サソリの素揚げはこれまで何度も食べてきた（写真4）。だからたいていの料理に驚くことはないと思っていたのだが、今回は違った。コオロギはまだしも、カマキリである。酔いも一気に吹き飛ぶほどのインパクトだった。しかも丁寧に、直立した状態で大皿に乗せてくれている。思わず息をのむ我々日本人を、主催者はニヤニヤしながら眺めておられた。のちに聞いたところによると、地元の人でもあまり食べることのない珍味らしい。それが証拠に、所長は一切手を付けていなかった。

残念ながら、私はこの試練だけは越えることができなかった。皿の上に立っておらず、横に寝た姿で出てきたらいけただろうか。あるいはもっと酒が入っていたらいけただろうか。あまり考えたくないが。先日、山東省出身の留学生に聞いたところ、彼の家の冷蔵庫には蟬の素揚げが入っており、御父君がつまみに食べることがあるという。彼は食べないらしい。済南で受けた強烈な洗礼も、いずれ体験できなくなってしまうのかもしれない。そう考えればよい経験だったと言えるかもしれない。無理にでもそう考えておく。

恐怖のトイレ事情

※食事中の方と清潔好きな方は急いで本節を読み飛ばしてください。

トイレと考古学

考古学は昔のモノから当時の人々の生活を復元する学問である。モノにも種類があって、土器のように手に持てるモノは遺物、住居のように手に持てないモノは遺構と呼ばれる。遺物と遺構の形がどのように変化していったのかを整理し順序だてて並べることが、考古学の一丁目一番地である。なので、考古学者は家でも街でも周囲に存在するモノの形や種類をいつも気にして観察している。

どの地域・どの時代にも普遍的に存在するにもかかわらず、文献記録ではなかなか登場しないモノにトイレがある。少し考えてみれば、トイレのない生活などありえないはずなのであるが、しかしトイレの歴史は長く日の目を見ることはなかった。やはり大の大人が正面から向き合うには少しばかりの気恥ずかしさがあるのだろうか、その重要性に反して、驚くほど残された情報が少ないのがトイレなのである。近年では

「トイレの考古学」は立派な一研究分野として認識されているが、世界のトイレの変遷過程は、まだまだ謎のベールに包まれている。

中国は伝統的に、どんな些細なことでも記録して歴史書に記載する地域であった。メモ魔が歴史書を編纂したのだろうかと思えるほどに詳細な文献記録を有するにもかかわらず、しかしながら、トイレに関する記録はほとんど残っていない。やはり士《し》大《たい》夫《ふ》たるもの、人前でトイレの話などするものではない、ということであろうか（そう考えると、ここでいう「トイレに行く」という表現自体が婉曲表現である。実際には「(トイレという施設に）排泄に行く」のであって、決して手を洗いに行くわけでもキジを撃ちに行くわけでもない。我々もまた、排泄に関する直接的な表現を避けようとする習慣にとらわれている）。文献に残っていないということは、考古学の出番である。中国での留学中、私は様々な種類のトイレを使用し詳しく観察してきた。以下、現代の民俗例の一端として、中国のトイレ事情をご紹介したい。あくまでこれは考古学的な興味関心からの紹介であることを、ここで強調しておく。決して誤解のないよう、注意されたい。

恐怖の留学生宿舎トイレ

私が暮らしていた留学生宿舎である勺園は、前述のように決して快適な空間ではなかったが、トイレだけは先進的であった。各階に二か所ある共用トイレのうち、男性用は小便器と個室が三つずつという構造であったが、そのうちの一つの個室はいわゆる洋式便所であった。近年は洋式便所も増えてきたようだが、中国では（というより世界一般では）またがってしゃがむタイプ、いわゆる和式便所が一般的である。我らが勺園でも和式便所の方が多いのだが、和式を使う習慣のない国から留学してきた学生のために洋式の便器が設置されていたというわけである。なんと国際的な宿舎であろうか。

しかし、仲間内では洋式の個室は使ってはならないという意識が共有されていた。なぜならば、汚いのである。またがって用を足す、というシンプルな構造の和式便器と違い、一度も使ったことのない人からすれば、洋式便器は構造が複雑でわかりにくいらしい。そもそも便器に肌を付けて座るという考え方がないので、洋式便器でも何とかしてまたがろうとする。そうすると必然的に便座に両足をつき、椅子の上でしゃがみ込むようなスタイルになるのであるが、そのような不安定な体勢で用を足せるはずもなく、バランスを崩した体は狙いを外し、結果的に個室内の様々な場所が汚れるのである。そんなわけで、勺園の洋式個室は近づいてはならない魔窟となった。読者の皆様のうち、将来もしも勺園のトイレを利用する機会を得る方がおられたならば、迷うことなく和式を利用することをお勧めする。

恐怖の低い壁

さて、このように中国のトイレは和式が一般的である。公衆トイレも基本的には和式であるが、古いタイプの公衆トイレには逃れることのできない恐怖が存在する。それは低い個室隔壁である。個室同士を仕切る隔壁は、多くの場合天井近くまで伸びることなく、肩くらいの高さまでしかない。甚だしい場合は腰上くらいまでしかない(なお、下は足元まで伸びているので安心されたい)。肩までの高さがあれば、しゃがめば顔は隠れるが、腰までの高さの場合はそうもいかない。個室で用を足す際、隣に入室した人の顔が見えてしまうのである。お互いの顔が見える風通しの良い環境、といえば聞こえが良いが、ことトイレに関してはたまったものではない。トイレの個室という完全無防備な状況で互いの顔を見ることに、何のメリットがあるのであろうか? 古い公衆トイレを使う際には、この高いハードルを乗り越えなければならない。何事もオープンにするに越したことはないが、トイレをオープンにするのはやめていただきたいものだ。

注意すべきは、顔が見えるということは、会話が発生する場合があるという点である。連れ立ってトイレに入るという機会が少ない人々にとっては、個室越しの会話という状況があまり想像しにくいであろうが、顔が見え、目と目が合えば自然と言葉を交わすのが人間である。中国の公衆トイレでは、我々が思っている以上に日常会話が交わされている。がんばっている最中に声をかけられたら、私は相手の目を見て返事をできるだろうか。求められる技術は思いのほか高そうだ。

留学中、私は周公廟遺跡の発掘に参加する幸運を得たことについては前述したが、発掘調査隊の宿舎（工作站）のトイレ（写真5）は個室の隔壁が肩まであるタイプのトイレであったため、ひと安心していた。しかし、物事は常にはうまくいかないものである。ある日、個室で用を足していると隣の個室にひとりの技工さんが入ってきた。

きちんと挨拶したことのない、お互いなんとなく顔を知っている程度の間柄である。どういうわけか彼は隣の個室に入っている私を別の技工仲間と勘違いし、用を足しな

入って正面が洗面所、左手がトイレである。右手には個室があり、夏の間は天水を利用したシャワーが利用できた。簡単な給湯装置がついており、冬でも温水シャワーが浴びられるはずだったが、装置がすぐに駄目になり、結局冬は一度も利用されなかった◀

がら話しかけてきたのである。当時は留学直後であり、中国語能力も低く、陝西訛りの早口についていけず、全く反応することができなかった。もしかすると、私に話しかけているのではなく、携帯電話で誰かと話しているのかもしれない、という無駄な期待も心を乱し、ただ押し黙るほかなかった。今であればもっと上手に危機回避できたであろうが、当時は予想外の展開に茫然《ぼうぜん》とするほかなかったのだろう。いくら話しかけても返事のない仲間（勘違い）を不審に感じた彼は、「おい、どうした？」「大丈夫か？」というようなことを（おそらく）話しかけてくる。ここで何か反応していればよかった

写真5　工作站のトイレ

のだが、遅かった。心配した彼は立ち上がり、隔壁越しに私の個室をのぞき込む。見上げる私、目と目が合う。

数秒の沈黙ののち、彼は無言でしゃがみなおした。私も無言のままである。トイレには静寂が戻った。言ってみれば私は被害者であるはずなのだが、なんだかとてつもない失敗をしたような気になってくる。個室を出るまでの十数秒間、非常に気まずい沈黙が流れたのを今でもよく覚えている。会話のできるトイレは時にこのような不幸を生む。トイレの壁は高い方がいい、と思う。

恐怖の現場便所

発掘現場には便所がある場合もある。ない場合もある。ない場合は、後述のように現場近くの民家で借りることになるが、現場に便所が設けられる場合、それはたいてい極めて原始的な構造をとることが多い。人類にとって最も基本的な便所構造とは、すなわちただの穴である。

中国では、都市部以外の土地はほとんどが農地である。一部の険しい山岳地帯をのぞいて、平地・山地にかかわらず隅々まで農地として開墾されている様には、先人の英知と弛《たゆ》まぬ努力のたくましさを感じずにはいられない。ある程度までの高さの山なら、全面的に段々畑にして作物を育てており、中国では人が住める土地のほとんどが農地と言っても過言ではない。そのため、多くの遺跡は畑の下に埋もれており、多くの発掘現場では畑をさらに掘り下げて、地下から遺跡を見つけることとなる。

発掘現場となった畑の片隅には、ひっそりとトタン製の囲いが建てられる。これが現場便所である（写真⑥）。多くの場合、男と女の二区画に区切られるだけで、天井はない。扉もない。もちろん外からは見えないようになっているが、中に人がいるかどうかは外からはわからないので、使用中の方に対面することも少なくない。作業員のおじさんたちはそんなことを少しも気にしていないようなので、別に大したことではないのであろう。

便所の区画内中央には、長軸30センチメートルほどの楕円形の穴が掘られる。深さは10センチメートルほどであろうか。この穴に向かって用を足す。何の変哲もない、ただの穴である。落し物は地下の便槽にたまることも、水で流れていくこともないので、そのままの形でその場に存在する。穴は定期的に埋められ、別の場所に掘りなおされるので、掘りなおし初回時に当たればラッキーであるが、掘りなおし直前に当たった場合には、否が応でもそれらが目に入ってしまうという試練を迎えることになる。穴の中にすべて収まっていれば良いほうで、往々にして穴からはみ出ている。ひどいときには絨毯爆撃的に広がり、区画内で足の踏み場を探すのに躊躇《ちゅうちょ》することもある。だが、目に見えるうちはまだよい。私の専門とする黄土高原という地域は非常に乾燥した土地なので、古くになされた物体は水気を失い、カサカサに乾燥し粉末と化し、風に乗って飛んでいくこともある。現場便所は初心者にはハードルが高い。

しかし、そんなことは些細なことである。現場便所は段々畑の端、平地を見下

写真6 現場便所

たしか、手前が男性用で奥が女性用だったと記憶している。天井がないせいか換気は十分で、思いのほか臭いはこもらない。さすがに内側は撮影しなかった▶

ろす高台に作られることが多い。便所から見える大陸の山々と眼下に広がる町並みの雄大さは、トイレへのこだわりなんてとるに足りないことだと我々に教えてくれる。現場便所は、人間もまた自然の一部に過ぎないことを改めて教えてくれる、偉大な装置なのである。

恐怖の豚便所

中国の田舎の農村では、半自給自足のような昔ながらの生活が続いている。農村には、門があり、中庭があり、中庭をいくつかの建物が取り囲む、伝統的な家屋が数軒立ち並んでいる。畑を耕し家畜を飼い、時に町まで出て必要物資を買い、冬には石炭ストーブで暖をとるのが、華北の一般的な農村の姿である（写真7）。なお、農村には電話やテレビがない家も多いが、ほとんどの人がスマートフォンを持っている。そこだけは21世紀を感じる。

一般的な農村で食用として飼われる家畜は豚である。たまに牛も見かけるが、多くの場合は食用ではなく荷役や開墾のための家畜のようだ。山地に入るとヒツジやヤギの飼育も見られる。鶏も多いが、もちろん養鶏場のような大量飼育ではなく、数匹を放し飼いにしている粗放的な飼育である。農家で最も一般的な豚を語る際、それは便所と切っても切ることができない。豚便所の存在である。

発掘に参加していたとある日、私は遺跡周辺をくまなく歩くこととなった。これは一般調査と呼ばれるもので、周辺の地形や他の遺跡との位置関係、あるいは畑から土器片などが出土する地点の広がりなどを調べる重要な調査である。この重要な調査のさなか、私は近所の農家の便所を借りることになった。

その農家では母屋の脇に便所があるというので行ってみると、イメージしていたよりもやや広めの、レンガで囲われた二十畳ほどの四角い空間があった。立派な便所だな、と思いつつ、特に気にせず中に入ると、まず目に飛び込んできたのは入口右手にある鉄扉である。用具入れかと思い特に気にしなかったが、奥から何かの気配がする。本能的に異変を感じ、外に出ようかと逡巡《しゅんじゅん》したが、次にどこで便所を借りられるかわからないので意を決し、便所（であろう）部屋の中央の穴へと向かった。すると、鉄扉の奥がざわめき立ち、「ブヒブヒ」いう音が聞こえるのである。明らかに豚である。

一般的な華北の農村。建物や外壁はいずれもレンガで作られる。立派な門を作ることが一種のステータスのようだ。このような農家の一角に豚便所が併設されている◀

写真7　農村風景

そのとき、ようやく合点がいった。これが豚便所だったのか、と。

豚を飼う地域では豚便所は普遍的にみられる施設であり、中国でも古くから利用されていたことがわかっている。漢代（紀元前3世紀～紀元後3世紀）には、日用品のミニチュアを土器で作り副葬品として墓に納める行為が流行したが、家のミニチュアや竈《かまど》のミニチュアにまじって、豚便所のミニチュアも出土する。一見すると普通の建物の模型だが、中央に豚のミニチュアが配置されているので、これが当時の豚便所を模したものであると判断することができる。中には子豚のミニチュアを作る例もあり、結構かわいい。豚は雑食動物なので、なんでも食べる。人間の排泄物も豚にとっては貴重な食糧であり、飼育するにあたってこれほど都合の良い生き物はいないだろう。太古の昔から豚（イノシシ）が家畜として選ばれたのには、このような飼育の容易さも大きく関わっているものと思われる。

閑話休題。気配でわかるのか、用を足そうとする私に豚は明らかに興奮しているようだ。彼（彼女？）からすれば餌が来たのだから無理もないが、鉄扉をガチャガチャさせて今か今かと待たれると、こちらとしてもやりづらい。平常心を意識してなんとか用を済ませ立ち去るころには豚の興奮も最高潮である。ブフォォという鼻息に、「口に合いますかどうか」と申し訳ない気持ちになる。私が便所を出ると農家のおばちゃんがやってきて鉄扉の鍵を開け、待ちに待った食事の時間が始まる。

たまの御馳走として食卓に並ぶ農村の豚は、このようにして飼育される。私たちのものを食べて育った豚を、さらに私たちが食べる。食べて生きるというサイクルの奥深さを垣間見たような気がして、複雑な思いを抱えたまま私は調査に戻った。

恐怖の溝便所

便所の話題はもう少しで終わる。あと少しご辛抱いただきたい。これまで言及した様々なトイレを紹介すると、「それでは豚便所が一番強烈ですね」とよく言われる。もちろん豚便所も強烈であるが、他にも注意すべきトイレがある。正式名称がわからないので、ここでは溝便所と仮称することとする。

溝便所は、ある意味で最も(物理的に)強烈な便所である。これは公衆便所の一形態で、主に地方都市の駅や中途半端に栄えた観光地などで目にすることができる。機能的には水洗トイレの形態をとっているので、特別臭いことも汚いこともない。だが、侮ってはならない。溝便所の最大の恐怖は、水洗で流れる溝を、複数個室で共有するという構造にある。

溝を共有する水洗便所とはどういうものかというと、個々の個室を越えて一本の長い溝が便所に渡され、上流から下流へと常に溝内に水が流れている。その溝の上に複数の個室が設けられ、各々はその個室で用を足すわけであるが、溝を共有するということはすなわち、隣の個室から流れてくるということである。またがった溝のなかを、上流側の個室から下流側の個室へと他人の落とし物が絶えず流れ続け、嫌でも目に入ってしまう。最下流の個室は上流側すべてのものが下を流れていくわけで、さっさと用を済ませないと他人の落とし物を延々と見る羽目になる。これはもう拷問に違いない。だからといって最上流の個室に入ればよいかというと、そこにも罠がある。長い溝すべてを水流で押し流すために、最上流は水圧が非常に強く、往々にして水が跳ね足にかかってしまう。最上流は最上流で、うまく扱わなければ自分に跳ね返る危険地帯なのである。「前門の虎、後門の狼」ということわざは、まさしくこのことである。私の経験上、溝便所で最も被害が少ないのは上流から二つ目の個室だと思われる。もしも溝便所に遭遇したら、二つ目が空くまで待つほうがよい。

以上、中国のトイレ事情をご紹介した。いずれも考古学的・民俗学的探究心からのことであり、決してトイレばかりを好んで観察しているわけではない。改めて強調したい。

1日の発掘スケジュール

中国編

6:30 起床。

7:30 工作站で朝食。ほとんどの場合はマントウ（味のない蒸しパン）が出る。前日に蒸したマントウが余っている場合は、揚げマントウが出る場合もある。塩が振ってあるのでおいしい。工作站から現場までは徒歩でおおよそ10～20分ほどである。寝坊した学生はマントウをほおばりながら現場まで走ってくる。

8:00 現場開始。各人には担当するグリッド（正方形の調査区）と掘削を手伝う作業員（民工）が割り当てられており、グリッド内の調査を責任もって行う。民工はほとんどが地元の農家の方々であり、調査期間中だけ雇っている。当時は1日12元ほどの給料だったが、近年は50元でも人が集まらないらしい。

10:00 夏場の午前中は涼しくて作業がはかどる。学生たちは教員や技工の指導を受けながら住居跡や墓などの検出にあたる。掘り上げた土は民工に捨ててもらうが、働かせすぎると嫌がられる。

12:00 午前の作業終了。工作站に帰ると、専任の料理人が昼食を作ってくれている。主食は麺か白米、それに肉料理・野菜料理1～2品とスープがつく。唐辛子と山椒をたくさん入れる料理が多いので、たいてい辛くて痺れるがおいしい。

12:30～15:00 昼寝の時間。この間にしっかり休んでおかないと、午後の作業に差し障る。30分でも寝ると疲れがとれる。日本の現場でも導入してはどうだろうか。なお、晩秋は朝夕が寒いので、現場開始と終了を1時間ずつ遅らせ、その代わりに昼寝の時間が短くなる。

15:00 午後の作業開始。寝起きで頭が働いていない学生もいる。

16:00 夏は西日が熱い。がんばって作業をしていると、民工が疲れてきてペースダウンを提案される。お茶やタバコを勧めてくるので、一緒になって休憩をとっていると先生に怒られる。

18:30 本日の発掘は終了。工作站へ戻る。

19:00 夕食。昼食と同じく、麺・米・スープのほかにおかずが2品ほど出る。中秋節やクリスマスなどのイベント時は、おかずが少し増える。

19:30～21:00 授業。ホールに集まり、先生の講義を受ける。発掘の理論や土器の整理方法など、現場にかかわる技術的な内容が多い。北京大学の学生は真面目に授業を受けている。秋以降は出土資料の整理作業や報告書作成が中心となり、夏のころにあった余裕は誰の顔からも失われる。

21:00～23:00 基本的に自由時間だが、先生によってはゲリラ的な授業が入ることもある。22時から授業をする北京大の先生を見て、大学教員というのは大変な仕事だなあと改めて実感した。眠くて早く部屋に帰りたいのだが、北京大学の学生は真面目に授業を受けている。

23:00 就寝。冬は電気毛布がないと寒くて眠れない。

中国は外国の調査隊のみでの発掘調査を認めていないので、基本的には日中の合同調査隊となるか、あるいは留学生・訪問学者などの立場で個人として中国の研究機関（大学や研究所）による調査隊に参加させてもらうかの、どちらかになる。私が北京大学に留学していた際に参加した2008年のころの発掘実習のスケジュールでは、発掘実習は8月から1月末までの約半年間に及んだ。調査は主に、夏から秋の発掘を中心に行う時期と、冬の出土資料整理・報告書作成の時期に分かれる。冬は寒くて現場の土が凍るので発掘ができないため、秋までにどこまで掘り終えることができるか、がポイントとなる。また、学生が参加する実習なので、先生による授業もある。北京大学の学生たちは皆さんたいへん真面目に参加していた。当然ながら当時はスマートフォンもWi-Fiもなく、10日に1回の休みでふもとの村におりてジャンクフードを買い食いするのが唯一の癒しだった。

怖い目にあった話3

ペルーの発掘調査

芝田幸一郎

私がこの道を志した直接のきっかけは、

後に恩師となる考古学者の講演会に行って、雷に打たれたような衝撃を受けたからである。わかりやすく説明された研究内容が抜群に面白かったというのもあるが、ユーモアたっぷりに語られたペルーの田舎での調査生活が大小様々な冒険に満ちていて、それにすっかり引きこまれてしまった。聴いているうちに、こんな世界に飛び込みたい、飛び込まないと自分は何のために生まれてきたのかわからない、そんな危なっかしい思い込みが瞬間的に沸騰し、全身に鳥肌が立ってしまった。

それから2年間夢中で勉強して、たどり着いたペルーという国も、恩師率いる山奥の発掘調査も、想像以上に素晴らしかった。快適かと言えば、否である。ろくにシャワーも浴びられないし、毎晩数十カ所も蚤に刺された。しかしインカ帝国より二千年以上昔の遺跡や遺物は際限なく好奇心を誘い、日々の発掘もペルー人との交流も刺激に満ちていた。毎朝起きるのが楽しみな日々。あの鳥肌の直感は正しかった。

その後、紆余曲折あったが、人と運に恵まれ、なんとかこの業界で生き残ることができた。しかし定職やら家庭やら守るべき大切なものが増えると、冒険は控えめになる。そもそも乳幼児を抱えた共働きでは、おいそれと長期ペルー渡航はできない。そうして自分の研究を低空飛行モードにして、大学の仕事と家事育児の両立に奮闘していたら、コロナ禍がやってきた。ペルーに渡航して発掘するのは困難になった。多くの考古学者は、その分の時間を活用し、普段にも増して論文や専門書を書いている。それが研究者としての評価を定めるからである。それで、駒澤大学でお世話になった太田先生を介してポプラ社から本書の共同執筆に誘われた時、正直なところ迷った。論文を書くより先に、こんな楽しそうな企画に乗っていいのか？

決めあぐねているとき、大事なことを思い出した。第二次ベビーブームに相当する私の世代は、研究者の層も厚い。しかし少子化と日本経済低迷のダブルパンチを受けて、若手研究者はじわじわ減少している。ペルーで考古学をすることの面白さを若者に伝えたい。研究成果で伝えるのが正攻法だが、副産物のような体験談を使っても良いではないか。そもそも私自身が、恩師の冒険譚に魅せられてこの世界に飛び込んだではないか。誰かに忖度しないで冒険してみるか。こうして「怖い目にあった話」の筆をとった。

鳥肌が立つかどうかはともかく、ペルーの魅力が読者に少しでも伝われば本望である。

性欲こわい

性愛と穴掘り

恋愛にも色々あるから、必ずしも性欲と結びつくわけではないが、私が様々なところで発掘中に関わった恋愛と性欲はみな渾然一体であった。

自分自身の恋愛感情や性欲は、いい大人ならばそれなりにコントロールできるものである（できない大人は恥を知ってほしい）。しかし他人のとなると、当然なかなか難しい（だから恥を知ってほしい）。特に大学生のように子供と大人の中間ぐらいの頃合いになると、これはもう実に困ったものなのである（お願いだから恥を知ってください……と祈るような気持ちすら芽生える）。

発掘調査、特に海外遠征系は、たいてい朝から晩まで集団生活を送ることになる。合宿のようなものである。多かれ少なかれプライバシーは制限されるので、ほぼ必然的に禁欲生活となる。中には人目を忍んで色々しでかしている「強者」もいるのだが、たいていはバレているので、何年たっても酒席で笑い話のネタにされてしまう。ちなみに「強者」の性差はあまりないようである。

合宿と書いたが、これまで私が経験したペルーでの発掘調査は、長いと三か月から半年ほどに及ぶことがあった。そうなるともう合宿なんだか日常生活なんだかわからなくなってくる。おまけに遺跡があるのはたいてい大都市から遠く離れた寒村の耕作地周辺である。電気・ガス・水道に問題を抱えていることが普通であり、時にはそんな文明の基本インフラが「まだ来ていない」村もある。そんなところに半ば監禁状態でひたすら穴を掘り続ける日々だから、適性には個人差が出る。私は学生時代に某有名キャバクラでウェイター等の仕事をしていたのだが、ちょっとヤンチャな感じのイケメン上司から言われたものである。「おう芝田、遺跡で土ばっか掘ってそんなに楽しいか？　おれは女[redacted]掘ってるほうが好きだなあ！　はっはっはっ！」。長い修業時代の私が大きな問題を起こさずお金と時間を浪費せず考古学者としてなんとかかんとか生き残れたのはたぶん土を掘る方が好きだったからだと思う。もちろん人生の目的や優先順位が違っても大変結構であるし、その方が幸せになりやすいとは思う。私は恋愛よりも性欲よりも、そして学者にあるまじきことだが論文を読んだり書いたりすることよりも、穴掘りの方が好きな期間がずいぶん長かった。そのためか正規の就職がアラフォーで、結婚はそこから更に数年後。この業界では珍しくないこととはいえ、ペルーの友人に言わせると「もう少しで列車に乗り遅れるところだった」らしい。

溜めすぎた男

前置きが長くなってしまった。さて、十数年前のことである。任期付研究員だった私は、日本のアパートを引き払ってペルーを生活と研究の拠点にしていた。博士号をとらないとお先まっくらというプレッシャーの中、博士論文に必要なデータを得るべく、小規模の発掘プロジェクトを率いることに満腔の情熱を傾けていた。調査隊メンバーを選ぶ際は、わけあって能力よりも友人としての信頼性に重きをおいていた。もちろん私以外は全員ペルー人である。その中のマリオ（仮名）はペルーのトップ私大に在籍する考古学専攻の学生で、名うての遊び人。私がリマでの一人暮らしに寂しさを感じていたとき、一緒に住まないかと声をかけてくれた大切な友人である。とにかく気が利くし人間関係の空気を読むのがうまい男で、つるんでいると居心地が良い。当然人気者だしとにかくモテる。マリオとその愉快な遊び仲間たち数人と一緒に一軒家を借りたのだが、マリオの部屋を訪れる恋人は一年にも満たぬ間に三人も入れ替わった。みんなスレンダーで天使のようなお顔の美女ばかり。模様替えのときだったか、マリオの引っ越しの際だったか、彼の荷物や家具の隙間などあちこちから待機中のまま忘れ去られたと思われるコンドームが出てきて苦笑した。共同生活と夜遊びを通じてわかったのだが、異性関係は派手であっても友人としての信頼性は抜群、加えて地頭は良いし素直で仕事覚えも速い。だから卒業に必要なフィールドワークの機会を喜んで提供することにした。最新の、そしてマリオの女遍歴の中でおそらく最も誠実な彼女のお腹が大きくなっていた。父親になるからには学歴をしっかりつけておいた方が良い。

11月の半ば、二か月近くに及ぶ発掘調査になんとか区切りをつけ、全ての発掘区の埋め戻し（発掘の最後の工程）が完了した。さあ恒例の打ち上げパーティーだ。調査隊員はもちろん、発掘作業や遺物整理作業を手伝ってもらうため遺跡付近の小さな町や村で雇った三十名近くの老若男女、さらにはその家族や親戚まで入れ代わり立ち代わり参加するなかなかの大宴会である。発掘で力仕事担当のオヤジたちは酔っぱらってフラフラになるまで飲む。彼らに絡まれたり愚痴を聞いたりするのも大事なことである。音響機材を所有する近くの村のゴーヨ（仮名）が食事の終盤からＤＪを担当し、ダンス音楽がかかり始める（写真1）。するといつのまにやら若い娘さん達の姿がちらほら。そちらの方に押しやられた我々男性考古学者は、娘さん達とぎこちなくおしゃべりしたり踊ったり。踊るとたくさん汗をかくためか、酔いがまわりにくいので助かる。あっという間に日付が変わり、一時、二時と夜が更けていく。女性考古学者達はとっくに宿舎へ帰っている。最後まで残った我々も、三時過ぎには引き上げたように思う。なんとかほろ酔い程度で済んだ。良い宴会だった。宿舎のリビングルーム兼会議室で、埃っぽいソファーに男ばかりどさっと腰掛け一服する。マリオは話しかけるタイミングを待っていたようである。眉間にしわを寄せ、困った表情で「コイチロ、絶対に迷惑をかけないから、調査隊の車を貸してくれないか？」と聞いてきた。

「でも、いつ？」

「ええと……いま……朝には返すから！」

いやもう朝の四時前だしまだ酒気が残ってるし何をバカなことを等々叱責の言葉をとりあえずグッと飲み込んだ。マリオとの付き合いは三、四年にもなるが、こういう突拍子もない頼み事は初めてだったので理由を尋ねると、「さっきの女の子たちを誘って出かけたいんだ」という。いわゆるワンナイトラブを狙いたいようだ。しかも一緒にどうよ？　ときたもんである。ここで即座に否定せず、その場にいたもう一人にどう思うか尋ねた私もどうかしていたし、家族持ちのくせにまんざらでもない表情を浮かべたもう一人もどうかしていた。そういえばこの一、二年前だった

写真1　発掘終了の打ち上げパーティーで踊る筆者（2002年）

ろうか、地方都市に住む友人である二十代の考古学者に電話をかけると、なんだかいつもと声の調子が違う。なんでも、長期の発掘調査に参加する直前には必ずチョンゴ（売春宿）に籠るんだと、少し恥ずかしそうにチョンゴから応答してくれた。このけしからん習慣には仰天したが、なるほどあいつはあいつなりに考えてチョンゴで充電いや放電していたのである。

気持ちはわかるが……と、本音も交えて穏やかにマリオを諭し、とりあえず翌日の仕事を考えながら寝た。

後日また男ばかりでビールを飲みながらマリオに尋ねると、（性欲を溜めすぎて）なにかビジョンのようなものを見たらしい。我々が発掘している古代神殿遺跡にあの娘達と集まって、焚火のまわりを素っ裸で踊ったり、けしからんことをしたり。車を貸さなくて本当によかった。

正直なところ、私が怖かったのは警察より交通事故よりスキャンダルである。地方政治家と結託した地方新聞である。外国人考古学者が不法に我が町の遺跡を発掘している！　出土品を盗んでいる！　などと根も葉もないことで騒ぎ立てられた先達や友人には事欠かない。そうやって地元を守る政治家であると住民にアピールするわけである。そのようなプロパガンダが成立する背景には、ペルーという国における地方と中央の猛烈な格差がある。地方住民から首都リマのエリートや外国人に対して向けられる潜在的な不信感がある。だから私のような外国人考古学者や、リマの裕福な私大生の痴情は、笑い話で終わらない。特に地元の若い女性が

「遊ばれた」「捨てられた」形になったらと想像すると本当に恐ろしい。新聞のウェブ化が進んだ21世紀だからなおさらである。論文を書くどころではなくなる。

聞かれてはいけない音

ところで私が率いているのは零細プロジェクトということもあって、メンバーの一人一人に目が行き届く。大きな家とはいえ一つ屋根の下で生活する日々である。だから抜け駆けしてハメを外す者はいない、そんな余裕はないと思っていた。しかしある年の発掘が終わる頃、学生の「おいた」が発覚し、冷や汗をかくことになった。

シーズンの最後を締めくくる発掘区の埋め戻しまで終わり、学生や保存修復の専門家達は家路についた。さあ明日は宿舎の撤収だという夜。最後まで残った私、副隊長、運転手兼生活全般相談係、それに地元レストランのおしゃべり大好き女主人というメンバーで、夕食後にビールやジュースを飲みながら雑談していると、副隊長が心配顔で話を切り出した。先刻、宿舎の大家さんに言われたことが気になるのだという。副隊長の推察では、どうやら学生同士でデキてしまった。それ自体は大変素晴らしいことなのだが、安全のためにわざわざ大家ご夫婦の寝室の隣に用意してもらった女子学生の部屋でやらかしてしまったようなのである。明け方の「物音」や「声」についてやんわりとクギを刺されたと副隊長が言うではないか。

「いやいやエレナ（仮名）の方は彼氏がいると公言していたよ」

「年上のエレナがウブな感じのペドロ（仮名）をよくからかっていたけど」

「ペドロでかしたよくやった！　おれは褒めてやりたいよ！」

ゴシップが大好物で、ああでもないこうでもないといい年した中年の男女がやいのやいの言いながら酒の肴にするのがペルー考古学である。いつか自分のことも槍玉にあげられる日が来るし、というか私を含めもうとっくにネタにされた者も少なくないからまあお互い様ではある。とはいえ心配事もある。今後、学生用の部屋を提供してもらえないかもしれないではないか。学生同士とはいえ健全な成人男女の夜の営みくらいで何をおおげさな！　ペルーは「ラテンの国」なんじゃないの？　などとは思わない方が良い。「場所」や「世代」によっては、この国は日本人もびっくりなほど保守的なことがある。例えば、私がペルー北部の国立大学に短期留学した際、学内では夏でも短パン（というか私のは七分丈だった）を穿くべきではないと注意され驚いたのが約二十年前。昔の習慣の名残りだと思いきや、南部の私大で男子のピアス・長髪・短パンなど、女子のへそ出し・ミニスカ・レギンスなどが望ましくないと公表され話題になったのが２０１５年。東部の国立大でも同様のファッションが「誘っている」とされ、入構制限で新聞沙汰になったのが２０１８年。まだまだ現役の規範なのである。そして我らが大家さんは高齢の元校長先生とご夫人であるから、どんな気持ちで「音」や「声」を聞いたのであろうか。

山村のお祭りであわや乱闘
――酒とダンスと回し蹴り

酒の逆襲

ペルーは伝統的に酒飲みの国である。15世紀から16世紀初めに南米西部で広く覇権を握ったインカ帝国では、道路建設などの公共事業に際して各地の有力者が民衆を集めて大宴会を行った。ごちそうも酒もふんだんに供された。人々は足腰立たなくなり、吐くまで飲んだ。それほどのもてなしをうけるとよく働いた。スペインがインカ帝国を征服してから三十年ほど経ったある年、北部で禁酒令が発布されたことがある。ところがたった五日で撤回された。人々は酒のもてなしを受けないと働かなかったのである。現代でもその飲みっぷりを物語る記録がある。国立サン・マルコス大学の大先生によると、1980年代にペルー国民を苦しめた経済危機の最中、唯一成長したのがビール産業であった。そんなペルー人の中でも考古学者は特に酒飲みと言われる。ペルー人考古学者のプロジェクトの中にはビール会社がスポンサーになっているものもある。調査に区切りがついたときの打ち上げはもちろん、様々なイベントに際して飲む。

ビールは箱買いし、グラスは一つ。手酌で各自が好きなだけ注いで飲み干し、グラスに残った泡を振り落としたら次の人に渡す。つまみはあまり食べず、ひたすらビールを飲み続ける。

もちろん酒は失敗の元でもある。ペルー考古学でも昔から酒にまつわる怖い逸話が語り継がれている。私は酒の飲み方に慎重な酒飲みだが、それでも何度か酒に飲まれそうになったことがある。一歩間違えればどうなっていたことやらと冷や汗ものである。酒の逆襲は思いがけないタイミングでやってくる。危険を察知したら諦めず酒に抵抗することが肝要である。

発掘生活のストレス

初めてペルーへ渡航した1996年以降、学生時代はずっと北部高地の遺跡発掘に参加していた。我が国の名だたる大先生達が率いる巨大プロジェクトであり、多いときは日本とペルー双方の考古学者やその卵たちだけで二十人以上、遺跡付近の村から雇った作業員は百人を超えた。にぎやかである。忘れがたい思い出がある。日本人もペルー人も、多くの学生や若手考古学者がここで鍛えられ巣立っていった。みんな心の母校のように思っている。もちろん私もその一人である。しかしよくよく思い返すとストレスの多い年もあった。大学院も博士課程に上がると、授業がぐっと減る。わけあって少し休学したこともあり、私は半年間も発掘に参加した。ちょうどそのプロジェクトが十数年間継続した中で最大最長になった年である。先発隊はめずらしく完全な男所帯であった。しばらくすると日本人もペルー人も、若い隊員を中心に次第にギスギスし始めた。なにしろ当時は電気すら通っていないド田舎の寒村である。酒とおしゃべりくらいしか娯楽がない。昼間の発掘にも楽しみはあるが、そればかりが人生ではない。一日の調査が終わり、夕食後にむさくるしい髭面の男ばかりで飲んでいると、普段はジェントルなリマっ子の考古学者も言動が粗野になっていく。ちょっとしたことで相手を非難し、言葉もきつくなる。からかいも度が過ぎるようになり、冗談も下品になる。要するに雰囲気が荒んでくる。皆のストレスが急速に溜まってくる。しばらくして豪快な笑い声の年配ペルー人女性が料理係として調査団に合流すると、雲の切れ目からお日様が覗いたかのように場が明るくなった。異性の目が意識される。とにかくそれが鍵なのだろう。この経験は活かすことにした。男性の圧倒的に多い分野ではあるが、後に私が独り立ちして発掘プロジェクトを率いるようになってからは、必ず女性メンバーを加えるようにしている。

やがて複数の女性メンバーを含む本隊が到着し、男所帯の荒んだ空気は急速に薄まっていった。一方、人が増えるとバックオフィス的な仕事が増える。昼間は発掘、夕方はデータ整理に従事するから、会計、労務、総務は夜になる。人数も発掘面積も出土遺物量もかつてない規模まで膨らみ、深夜まで仕事をすることが多くなった。しかも、おはようからおやすみまでの多文化多世代集団生活だから、忙しくて気がつかないうちにストレスが溜まっていくのだろう。

寒村に籠って三、四か月も経った頃だろうか。車で一時間ほどの少し大きな村でお祭りが開かれるという情報が入ってきた。冷静に考えればこの寒村と五十歩百歩なのだが、少なくともお祭りでは酒と音楽とダンスが楽しめる。特に音楽とダンスは、男女を問わずペルー人の大好物であり、その影響を受けた私のような日本人学生にとっても貴重な息抜きとなっていた。一緒に踊ってくれそうな若手の女性考古学者たちも到着済みである。その週の発掘を終え、ベテランペルー人考古学者が車を運転し、お祭りへいざ出陣となった。

ペルー考古学者の必修科目

こういった田舎のお祭りで、当時の定番の音楽ジャンルはクンビアであった。クンビアといえばお隣のコロンビアが元祖だが、そこからラテンアメリカ全域に広まった。各地のローカルな音楽と融合しながら変化し続けている音楽である。ペルーでは先住民系伝統音楽などの影響もある。偏見の誹《そし》りを恐れずに言えば〝ちゃかぽこちゃかぽこ〟と軽くて明るいリズムに、軽薄で安っぽいワウの効いたエレキギターやシンセサイザー、そして時にはホーン隊の伴奏があり、たいていは悲恋をテーマにした歌が乗る。超格差社会ペルーにおける大衆音楽である。田舎の暑苦しい年代物バス車内や、でこぼこした土間仕上げの床の薄暗い居酒屋を爆音で満たす音楽である。リマのアッパーミドル層以上の人々はまず聴かない。『ミュージック・マガジン』

や『ラティーナ』といったコアな音楽雑誌の読者層ならともかく、一般的な日本人の感性だと垢抜けない印象を受けるだろう。私も当初は苦手だった。しかし発掘の時に地元作業員の誰かが持ってきたラジオから流れるクンビアを何週間も半強制的に聞かされていると、いつのまにかクセになって自分から口ずさんでいる。そのうち郷愁すら感じるようになる（写真②）。

今夜のダンス音楽もほとんどがクンビアである。お気に入りのジャンルではないとはいえ、知っている曲でもかかればそれなりに気がのってくるものである。村人たちはなかなか踊り始めない。中央の踊るスペースを広く空けてなんとなく輪になり、ビールやカニャッソ（サトウキビから作る蒸留酒だが、広く流通

写真2　アンデスの山村（1996年）

しているラム酒と違ってかなりクセがある。炭酸ジュース類などで割ることもある）などを飲んでいる。こういうとき意外とペルー人は恥ずかしがり屋であり、音楽と酒で場の空気が温まってこないと踊り始めない。みんな他の誰かが踊り出すのを待っている。我々も次々とビールを空けていく。

ところでダンスはペルー考古学者の必修科目である。好きであろうがなかろうが、踊らなくてはならない場面が必ずやってくる。たとえば女性から誘われようものならもう腹を決めるしかない。それを断ることは、90年代までの日本の宴席で先輩や上司からのお酌を断ることよりも難しい。念のため日本のラテンダンス愛好家に言っておくが、サルサやメレンゲはペルーにとって基本的に輸入ジャンルであり、大都市のダンス教室等で習った人を除けば巧みに踊る人は少数派である。地方の一般大衆が子供の頃から身近な大人をみて身に着けたダンス、暮らしに寄り添うダンスといえばアンデスの伝統的なワイノか、ハイブリッドなクンビアなのである。北米系サルサのように男女ペアでアクロバティックな技を競うようなことは皆無である。男女で踊るにしても、基本的にホールドしないし手もつながない。つかず離れずの距離で相手を意識しながらもめいめいが好きなように踊る。当時はクンビアのダンス教室なんてまず見なかったから、みようみまねでやってきた私は四半世紀経っても未だにペルー人のような味は出せない。一方で初見でもなんとなく踊ることは可能という、そんな初心者に優しいダンスでもある。

糞チーノどものハッタリ演武

初めて訪れた町や村では、よほどのことがない限り見知らぬ女子を踊りに誘うことは難しい（目立つことをやっていれば逆に向こうが興味を持って誘ってくることはままある）。だから、大学を出て間もないペルー人女性考古学者たちを誘って何曲か踊る。久々に踊ってストレスを発散し、少し酔いが回っていい気持ちになっていると、ドン！　と村人がぶつかってきた。ふらふらに酔っぱらっている。海抜2600メートル超えの高地で寒い夜にビールをたっぷり浴びせられ、一瞬で胸糞悪くなる。しかしまあ酔っぱらいに怒っても仕方ない。気を取り直してまた踊ろうかと次の相手を探し始めたところで、近くにいた日本の友人が寄ってきた。かなりの轟音でクンビアがかかっているから、負けじと耳元に大声で話しかける。

「なあ、あいつらどうする？　ちょっと懲らしめたくなってきたんだけど」

「どうするってなにが？」

「あのへんにいる若いやつら、さっきからこっち見て『チーノチーノ、チーノスデミエルダ』って煩《うるさ》いからやっちゃっていいかな？」

チーノというのは直訳すると中国人、しかしたいていは東洋人全般を指す。日本人だろうが韓国人だろうが関係ない。夫婦間や友人間で親愛の情をこめて使われることもある。しかし文脈や言い方によっては侮蔑の言葉となる。見知らぬ相手にミエルダ（糞）までつけるなら、ケンカを売ってるようなものである。垢抜けた都会のペルー人女性が、東洋系外国人達と楽しく踊っているのが気に食わなかったのだろうか（後になって調べたら、ちょうどフジモリ大統領の汚職発覚ニュースがペルーを駆け巡った直後のことだった。その後数年間はフジモリ氏への反感を見知らぬ我々日本人にぶつける者にときおり出会った。「糞チーノ」と吐き捨てた若者たちは、我々の背後にフジモリ氏を見ていたのだろうか？）。もちろん普段なら友人も私もそんな連中は相手にしない。発掘調査に来ているのにケンカなんて滅相もない。だいたい私はケンカなんて十年以上した覚えがなかった。ところがこのときはなぜか刹那的な感情が沸いてしまった。二人とも目が据わっていたのではないか？　やっぱり酒は怖い。

「あーミエルダか、ミエルダね、それはちょっとね！　次に何か言ってきたら始めちゃう前に声かけてよ！」

本当に酒は怖い。お世話になっている先生達に迷惑をかけるという当たり前の予想が脳みそから出てこない。怪我をしたら発掘作業に支障をきたす。大きな町の病院へ行くときは先生達が仕事時間を割いて付き添う。そして酒に酔った日本人考古学者が乱闘騒ぎを起こしたなんてニュースでも流れようものなら、今後のプロジェクトにどんな障害が待ち受けるかわからない。いや、自分の心配もしなくては。昭和の時代のように「君、来年からもう来なくていいよ」なんて先生から言われた日にはキャリア崩壊、お先真っ暗である。いやいや、そもそも怪我程度で済む話だろうか？　こんな山村で村人相手にケンカなんかして、その数人だけで終わるのか？　後になって思い返すと本当に馬鹿である。酒も馬鹿も怖い。

しかしそのとき、アルコールで弛緩《しかん》した脳みそがちょっとだけ働いてくれた。数年前の記憶とともに、この場を収められるかもしれない閃きが飛び出した――初めてペルーでの発掘に参加した1996年、週末は仲間達と共に寒村を出て地方都市カハマルカへ羽を伸ばしに行った。老舗の音楽バー「ウシャウシャ」で意気投合した現地女子大生三人と私は、サンタアポロニアの丘裾にあるディスコテカ（日本のディスコまたはクラブに相当する）へ踊りに行くことになった。ところが三人を楽しませる会話力・語学力もないし、ダンスだって付け焼刃である。そこで苦し紛れに、小学生時代にかじった空手を混ぜ込むことにした。和道流空手の形《かた》で、ピンアン何段かは覚えていたのである。クンビアやサルサの基本ステップを踏みながらの空手の動きは思いのほかウケて、実に楽しい夜を過ごすことができた。しかし帰り際、「まるでケンカしてるように踊るのね」と、一人だけ真顔で少し怖がっていたようにも思う――。

ああこれはいいぞ、面白がらせても、怖がらせても、どっちにしろこの場の空気が変わるんじゃないか？

そこでさっそく、「チーノスデミエルダ」にカチンときていた友人に声をかけて作戦を伝えた。この偉丈夫は、非ラテン系とはいえダンス経験者だし、最近までキックボクシングもやっていたからうってつけである。いいねいいねの二つ返事でのってくれた。少し混んできたダンススペース中央部は避けて、あのいけすかない若者たちのいる空いた一角へ適当に踊りながら移動する。私が軽い猫足立ちに手刀を構えると、それが合図になる。さあ戦闘開始だ！

基本は相対してスパーリングをしているような、形の演武をしているような、しかしそれでいてお互いクンビアのリズムに乗せた技の掛け合いである。ブラジルの伝統格闘技カポエイラは、音楽に合わせて踊るように戦う（戦うように踊る）そうだが、ちょうどそんな舞踏が即席に現れた、ように思う。もっとも友人はけっこうな本格派だが、私の方はハッタリもいいところである。ともあれ、二人ともそれなりに酔っているから、雑な回し蹴りが連発されて危なっかしいことこのうえない。しかし本人たちはなんだか楽しくなってくる。セイッ！　ヤッ！　と気合までリズムに合わせてノリノリである。ふと気がつくと我々の周囲に大きな輪ができていた。誰かがエッソ！（そうだっ）、アハー（いいぞっ）、などと合いの手を入れてくる。いい感じにきこしめした村のおじさん（後で知ったのだが、この村の小学校校長であった）がニコニコ顔で寄ってきて、手刀を真似ながら我々と一緒に踊り出す。そんな感じでいったいどれほど踊り続けたのだろうか？　友人と私は汗だくですっかり酔いが醒め、心の毒気も抜けていた。周りを見渡したが、例の若者たちはいつの間にかいなくなっていた。

踊るタイミングを失して飲み続け、カニャッソに手を出したベテランペルー人考古学者はすっかりつぶれていた。実はここから調査団の寝泊まりする村へ戻る際にもひと騒動あって、心臓が止まる思いをしたのだが、その話はまた別の機会に。

発掘で出会ったペルーの驚くべき食文化

ごちそうを飼う

恐らくエジプトや中国で調査している方々ほどではないが、ペルーの発掘調査でもかなりインパクトのある食文化に出会う。サルなどの印象的な食材に恵まれたアマゾン川流域の熱帯低地はもちろん、私がフィールドとしてきた山岳地方や海岸地方もなかなかのものである。

最初に挙げるべきは、やはりクイだろう。学名*Cavia porcellus*、テンジクネズミの一種である。南米の古代文明が生み出した数少ない家畜の一つである。つぶらな瞳に間延びした感じの鼻の下。少し折れた短い耳にモフモフした柔らかそうな毛。尻尾はない。見た目は愛くるしいとしか言いようがない。おまけに声まで可愛い。子猫のような高めのトーンで、小さくクィークィーと鳴く。クイと鳴くからクイなのである。最初の出会いは学生時代である。私は北部山岳地方での発掘調査プロジェクトに毎年のように参加していた。遺跡の徒歩圏に寒村があり、そこでは日本人もペルー人も老若男女問わず農家の空き部屋に分宿した。初めてペルーに来た1996年、私は村はずれにある大きなS家の離れの一階の部屋をあてがわれた。立て付けの悪い離れの玄関ドアをギコギコ鳴らしながら開けると薄暗く、どこかの隙間から入った一筋の陽光が漂う埃を照らした。正面には二階へ上がる細くて急な階段、左手には私の部屋のドアがある。階段の左脇の狭いスペースでカサコソ音がするので目を凝らすと、数匹の小動物が柵で囲われている。書物でしか知らなかったクイである。日々の発掘を終えて部屋に戻るとき、出迎えのようにクィークィーと声をあげるが、就寝を邪魔されたことはない。愛くるしい姿と相まって、クイ達の出迎えは日々の癒しであった。ある日ふと最近声が聞こえないなと思ったら、一匹もいなくなっていた。そして一瞬の間をおいて思い出した。そうだ、クイは食用の家畜だった（写真③）。ごちそうの部類だった。S家でお祝い事や来客があったのかもしれない。調査団の食卓に出なくて良かった。私はたいていの食材は大丈夫だが、愛着のわいた個体は食べられない。

その後しばらくして、別のところで飼われていた個体を食べた。多めの油でべちゃっと炒め煮してあるうえに、もともと皮の下が脂っぽい。おまけに油を入れて炊いたお米と一緒に出て

写真③　クイを熱湯につけてからの毛むしり作業。右上にゴタ・ア・ゴタ直火式コーヒー抽出器具（172ページ）が見える（2023年）◀

くるから、二十代前半の活発な胃袋にとってもまあクドいこと。食べられないことはないが、お世辞にも積極的に食べたいものではなかった。なおクィの名誉のために付け加えると、このとき美味しくなかったのはクィのせいではなく調理を担当した村人の腕前のせいである。懲りることなくクィを食べ続けた結果わかったのは、料理人の腕前に大きく左右される食材ということである。クィのポテンシャルを引き出せる料理人の手にかかれば、カリっと仕上がった皮の食感はクセになり、身は意外と筋肉質で旨味があり、それがジューシーな皮下脂肪と口内で混ざり合えばいつの間にか骨までしゃぶりつくしているのである。

クイと言えば山の料理というイメージが強

いが、私が2002年から調査地としているネペーニャ川の下流域でも美味しいクイが食べられる。大漁港チンボテが車で小一時間の距離にある一方で、カハマルカ県の山奥にあるチョタ郡からの移住者が多いため、海の料理も山の料理も楽しめる。宿舎の大家さんが裏庭の檻にクイをたくさん飼っている。我々が日本から到着した際にクイ、誰かの誕生日にクイ、発掘終了の打ち上げにクイといった感じで料理を振舞ってくれる。クイは生後三か月ほどで出産可能となり、加えて多産だから、なかなか実入りの良い家畜なのである。ところで、見て可愛く食べて美味しいクイだが、下ごしらえの段階を見るのはスキップするのが良い。〆た後で熱湯につけ、毛をむしるのだが、丸裸になったクイは尻尾のない巨大ネズミであった（写真4）。

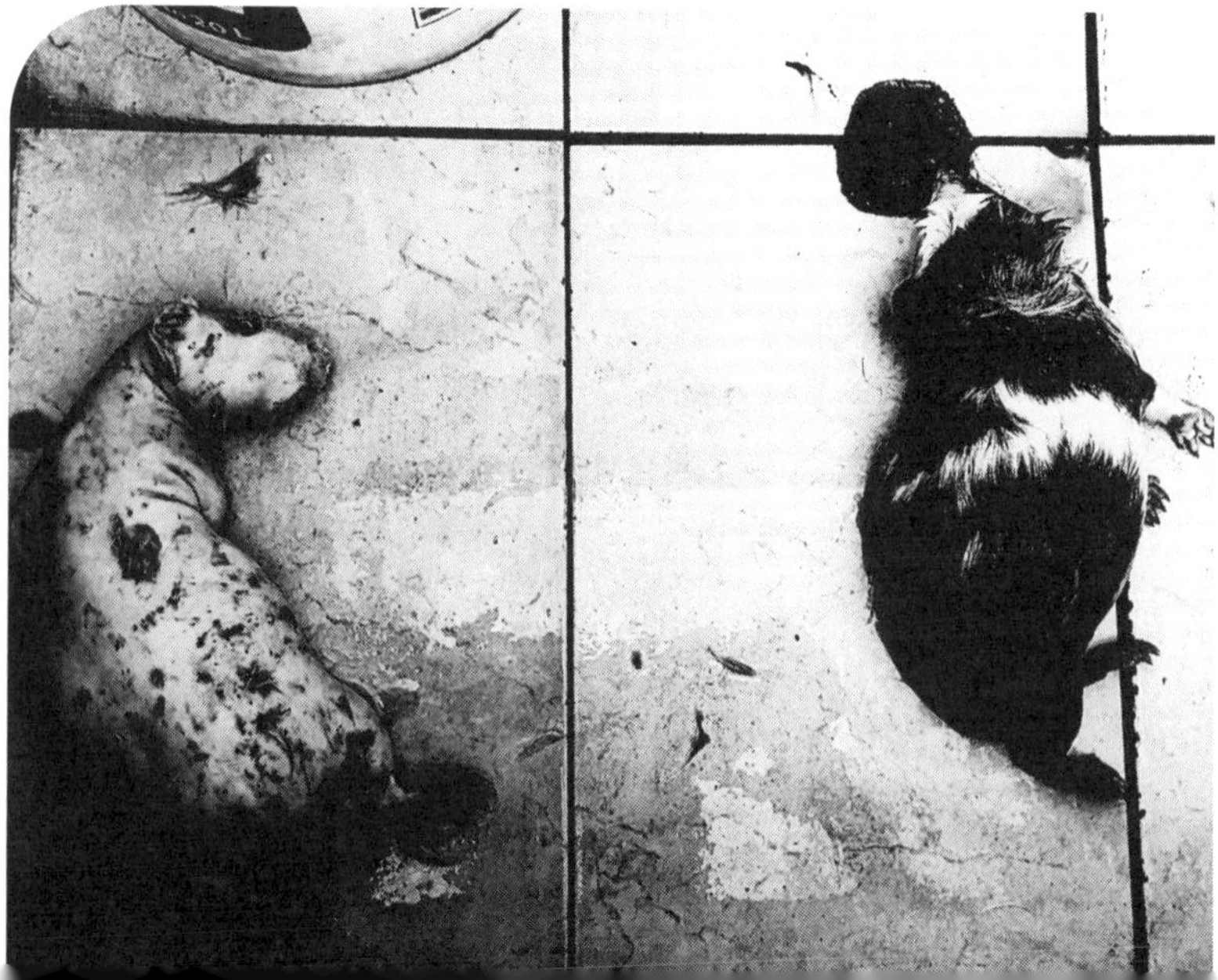

写真4　クイの毛むしりビフォーアフター（2023年）

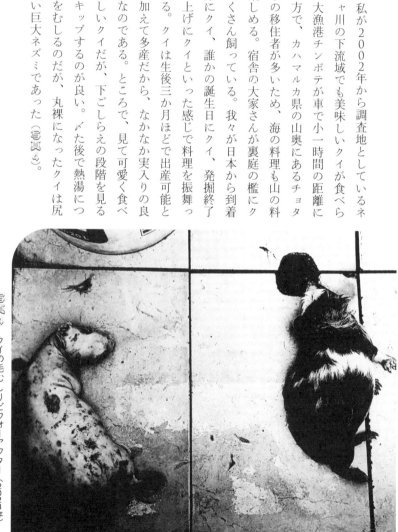

イグアナのしっぽ

クイの次に出会った忘れられないご当地食材はイグアナである。自分の零細発掘プロジェクトを始動させる直前に、大先輩のプロジェクトに参加した。独り立ちする前の最終トレーニングを受けさせてもらったようなものである。発掘だけでなくプロジェクト運営のトレーニングを兼ねていたこともあって、かなりしんどい日々だった。しかし食事が癒してくれた。なにしろ景気が悪くたって週末ごとに家族で外食するのが止められないから貯金できない食道楽ペルー人たちがことごとくうまいうまいと言う北海岸地方の料理が食べられたからである。名だたる郷土料理店が連なるトルヒーヨ、チクラーヨほどの大都市ではないが、我々の宿舎から車で気軽に行けるグアダルペ市とチェペン市ではたいていのものが食べられたし、ジビエ的な料理も出す肉専門店まであった。ジビエと言えば、ペルーの田舎にはたいてい趣味と実益を兼ねて猟銃をやっている男たちがいる。我々が雇った発掘作業員の中にも猟銃使いがいて、イグアナとってきたら食べるか？　と聞くので、もちろん食べると答えると、さっそく次の日の昼食はイグアナ料理になった。ギソと呼ばれる煮込み料理で、ピリ辛の味付けになっていたのだが、とにかく美味だったのはその尻尾である。旨味たっぷりでゼラチン質が豊富なので、ちゅるちゅるといつの間にか骨までしゃぶり尽くしていた。

ペルーのコーヒー文化

ところで先ほど触れた大先輩の発掘プロジェクトでは、我々の癒しは食べ物以外にも一つあった。コーヒーである。グアダルペという古風でのんびりした雰囲気の町の中心部には、なかなか美味しいコーヒーを淹れる店があった。それはとても貴重なことであった。カフェ一軒でなにを大げさなと思うだろうか？ しかし一昔前のペルーで出てくるコーヒーの多くは、コーヒー好きの日本人を唖然とさせる飲み物だったのである。地方のホテルやレストランでは、よくインスタントの粉とお湯が出てきた。ちゃんと抽出したコーヒーはないかとウェイトレスに尋ねると、「こっちの方が美味しいでしょ?」とニッコリ。ペルーで「インスタントじゃないコーヒー」といえば、少し前まではイタリアの家庭用コーヒー器具に似た直火式器具を使っていた（今世紀の好景気に伴って全国にエスプレッソマシーンが普及し、直火式器具のコーヒーを飲める店は減少傾向にある）。

直火式と言えばヒゲおじさんマークのイタリア製マキネッタ（モカ）が有名だが、「ゴタ・ア・ゴタ」と呼ばれるペルーの直火式器具はマキネッタ登場以前から存在する「ナポリ式」に近い。ただし典型的なナポリ式と違って抽出時に器具を上下ひっくり返さない。19世紀に始まるイタリア移民によってペルーに持ちこまれたナポリ式抽出器具は、やがてこの地で「ゴタ・ア・ゴタ」へと進化し、独特の飲み方も生み出されたのだろう（cafelab.pe 等のサイトが参考になる。ただしペルーのコーヒー抽出器具の歴史に関するガチな先行研究はほぼ皆無のようである。そのうち考古学者らしく型式学的分析でもしてみたい）。エスプレッソどころではない極めて濃厚なコーヒーが抽出されるので、それをお湯で割って飲む。濃厚な「原液」が淹れたてならば、十分な香りと独特のコクを楽しめる。ところが原液は醬油さしのようなガラス瓶に移され、数日、場合によっては一週間もかけて消費される。すると風味は飛び、黒くて苦くて酸化の進んだコーヒーのような何かに変化する。砂糖とコンデンスミルクで誤魔化せないこともないが、何杯か飲むとお腹が痛くなることもある。私は高校時代からコーヒー党であり、昭和の求道的店主が一杯一杯丁寧に抽出する喫茶店でコーヒーを覚えたので、産地ペルーのコーヒー文化にショックを受けた。ペルーは貧しいからコーヒーを楽しむ余裕がない？　発展途上国だから味音痴だろう？　とんでもない！かつてペルーの方が豊かだったから日本人は移民したのだし、知る人ぞ知る美食の地だったペルーはいまや世界に名だたる美食大国である。口に入るものに一家言持つ者であふれている。それにもかかわらず、なぜコーヒーには無頓着なのだろうか？　一つだけ思い当たることがある。ペルーの歴史学者パブロ・マセラによると、コーヒーがペルーに導入されたのはまだスペイン植民地だった18世紀末である。植民地ペルーで生産されたコーヒー豆を、できるだけ多く宗主国スペインへ輸出するために、ペルー富裕層のコーヒー消費が意図的に抑えこまれたという。これが、日本より百年も早くコーヒーを知りながら、ペルーで「コーヒー文化」が洗練されなかった一因かもしれない。

いまやペルー産コーヒー豆は、カップ・オブ・エクセレンスで高得点がついて、びっくりするような高値で取引されるものも出てきた。そんな極上品を、あだち珈琲、猿田彦珈琲、丸山珈琲など我が国の名だたるスペシャルティコーヒー専門店で味わうことができる。ペルーでも、21世紀になって電気式エスプレッソマシーンが普及したこともあって、中規模以上の都市ならばどこへ行ってもそれなりのコーヒーが飲めるようになった。こだわりの店も増えてきた。無頓着だった人々の目がコーヒーに注がれ始めた。ペルーのコーヒー文化がこれからどのように洗練されていくのか楽しみである。

ところで、グアダルペ市の店で飲んだコーヒーは、あの直火式器具「ゴタ・ア・ゴタ」で抽出した濃厚な原液をお湯で割るタイプだった。コクも香りも申し分なかった。平日の発掘に加え、週末は治安の悪い町で気を張りながら両替や消耗品の買い出しを続けると、心身ともに疲労がたまってくる。すると、普段は憎たらしいほど厳しい先輩が「ちょっと飲んでいこうか?」と声をかけてくれる。人影まばらな暑く乾いた午後、少し砂糖を入れて飲む淹れたてのコーヒーは、気のせいではなく元気をくれた。いまでもときおり思い出す。

ムイムイ

ある年のこと、後輩の発掘現場が潮の香りのする沿岸部だったので、新鮮な魚介料理を期待して遊びに行った。漁港の近くは世界中どこでもたいてい美食にありつけるが、ペルーの北海岸地方なら私は太鼓判を押してしまう。魚も貝も海藻も甲殻類もピチピチに新鮮なものを火を通さずに食べる料理が豊富だからたまらない。今回の狙いは紀元前の昔からペルー沿岸部で食べられてきたムイムイ。学名は *Emerita analoga* というスナホリガニの仲間である。

考古学者なら論文や報告書でときおり目にするし、釣り人には食いつきのいい餌として有名である。しかしペルー人でも食べたことのある人は意外と少ない。北海岸でもトルヒーヨやチクラーヨといった大都市のレストランではまずお目にかかれない。我々が訪れたのはマグダレナ・デ・カオという人口三千

写真5　ムイムイのからあげ

にも満たない小さな町である。スペインに植民地化されて間もない16世紀から続く長い歴史のためか、観光地化した遺跡が近いためか、この町には思わず門をくぐりたくなる店構えの海鮮レストランが複数あった。もちろん後輩が勧めるエル・エンブルホという店に入る。店主に尋ねると、この日はムイムイがあるという。バンザイ！ 軽く小麦粉をまぶして揚げたハレアという料理にしてもらう（写真5）。さてこのムイムイ、生きているときの見かけは真鯛の口内にでも潜んでいそうなくらい寄生虫チックだが、あれとは比べ物にならないくらい美味い。カリっと赤茶色に揚がったムイムイを嚙みしめると甲殻類特有の旨味と香りが口に満ちる。臭みは全くない。真っ先に頭に浮かんだのは子供の頃に九州の親戚に連れて行ってもらった有明海の景色であり、あの干潟で筆を使って捕獲したマジャク（アナジャコ）である。ムイムイは一口サイズなのでパクパク食べられ手が止まらない。ビールとの相性は最高なので飲み過ぎが怖い。

闘鶏料理とペルーの歴史

私が発掘などの調査をするときに寝泊まりするネペーニャも、小さな町だが植民地時代初期からの由緒がある。レストランは少ないが、舌の肥えたリマっ子も満足させる凄腕の料理人や引退して主婦をしている方が何人かいる。我が宿舎の大家ご夫人はそんな腕利きの元シェフであり、ときおりサービスで腕を振るってくれるからたまらない。ところであまり知られていないがペルーでは闘鶏が盛んで、地方での町対抗戦の他に全国大会まである。そしてこのネペーニャには闘鶏好きの中年男性が多い。彼らに言わせると紳士の趣味ということになる。地方戦も全国大会も見に行ったレアな外国人として言わせていただくと、怒声と流血、酒と美しい女性、動く大金、乗りつけられる高級車などには、露骨なまでのマチスモ（ラテンアメリカにおける男性優位主義・男尊女卑的な価値観）がある。人口二千足らずの埃っぽい小さな町にも、どこから来たのかピッカピカのジープやハマーが路駐され、セクシーモデルのようなムチムチの金髪美女が会場の最前列に陣取る。血なまぐさい空気に当てられたのか、普段は動物愛護を語るようなリマのリベラル系大学生が「いけー！　ころせー！」と絶叫す

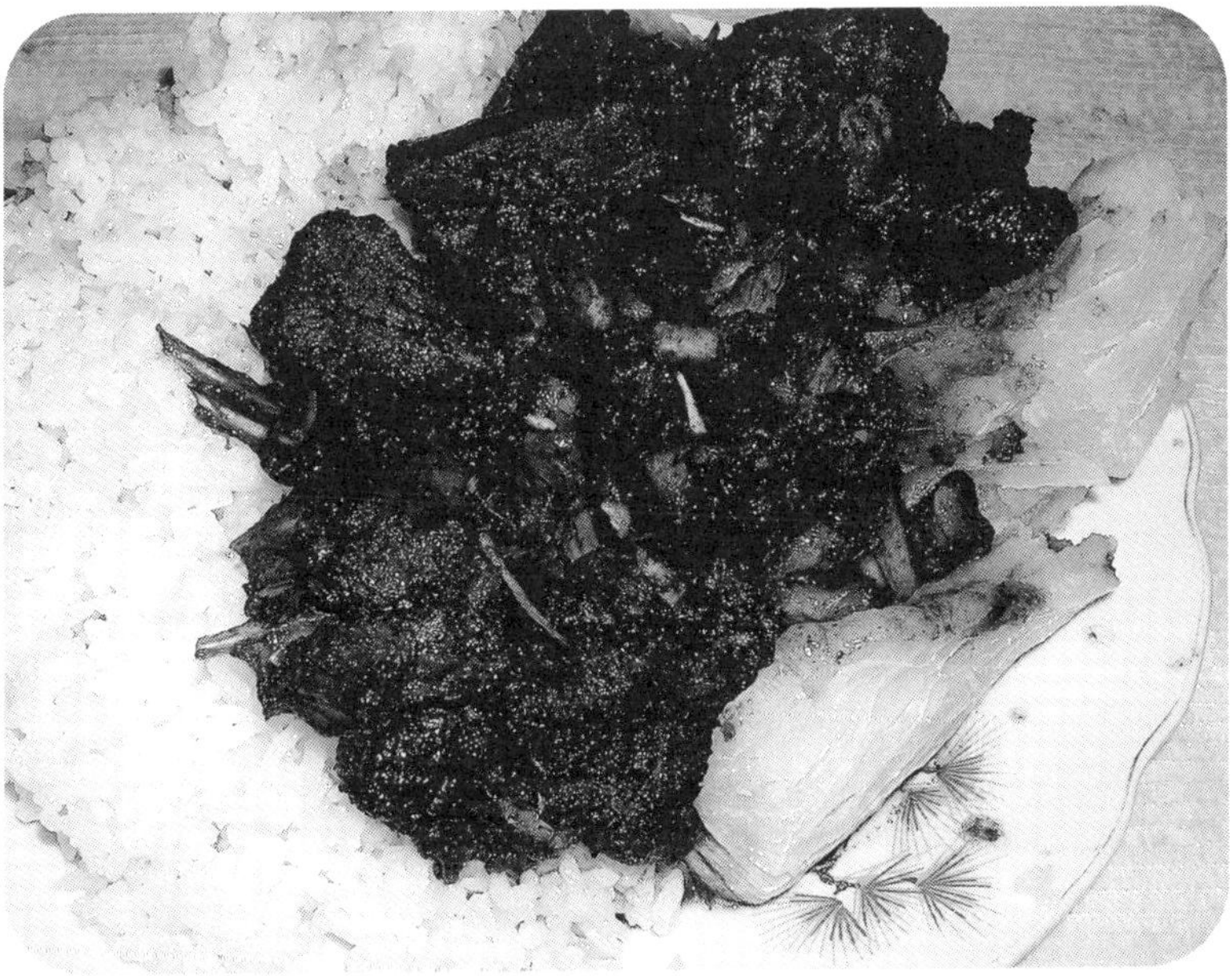

写真6　文化混淆《こんこう》の歴史の結晶である闘鶏料理（2005年）

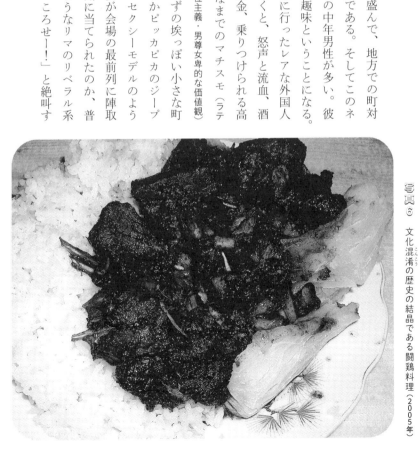

る。一方で勝ち負けの潔さや、立ち居振る舞い等には、なるほど紳士的な何かへの強い希求が透けて見える。いやむしろ日本で言うところの「粋」を想わせる価値観を感じたことすらある。懲りずに長々と脱線してしまったが、多くを語りたくなるくらい私も魅せられたのだろう。さてペルーの闘鶏ルールにはピコとナバハがあり、ネペーニャやその周辺地域で盛んなのは後者である。闘鶏の片足にカミソリのように鋭く研ぎ澄まされた短いナイフを装着し、それを使って切り合う。一撃必殺と言えるほどの威力があるから、負ければ死。勝っても、それなりの攻撃を受けていれば再起不能になる。そして我々の食材となる。ネペーニャの闘鶏料理は他に類を見ない。レシピの細部は教えてもらえなかったが、闘鶏の筋肉質な硬い肉を骨ごとブツ切りにし、トウガラシ、生姜、中華醬油と共に炒め、黒ビールを注いで煮込んだものである。すると骨離れが良く適度に歯ごたえがあって濃厚な旨味の鶏肉料理チチャロン・デ・ガージョ・デ・ペレアとなる（写真⑥）。ユカ芋や白米が添えられるが、ビールとの相性も素晴らしい。ところでなぜ生姜や醬油が出てくるのか不思議に思った読者もいるだろう。ネペーニャには、少なくとも紀元前2000〜前800年頃にはジャガーや鳥や水生生物の壁画で彩られた神殿を建立するような文明が存在した。私が発掘しているのもこの時代の神殿である。我々と同じモンゴロイドの築いた文明である。栄枯盛衰の果てに、この地方もインカ帝国の勢力下に入るが、やがて16世紀前半にスペインに征服される。今日のネペーニャの町が築かれる。スペイン植民地時代にスペインから闘鶏が輸入される。アフリカから黒人奴隷が輸入され、支配階層の邸宅やサトウキビ畑で働かされる。やがて19世紀になるとペルーはスペインから独立し、その後まもなく奴隷は解放される。一方で労働力は不足したので、中国の労働移民（クーリー）が、イタリア移民が、そして日系移民が入ってくる。これはペルーの歴史であり、ネペーニャの歴史でもある。この小さな町には、スペイン系はもとよりイタリア系の一大勢力もある。アフリカ的な身体的特徴が色濃い家系もあれば、中華系・日系の苗字も散見される。そしてあの闘鶏料理を家伝としてきたのは中華系の苗字にアフリカ的な髪の毛と肌をした一族なのである。トウガラシを生み出した古代文明、闘鶏を持ち込んだスペイン、アフリカから連れてこられ食材を余すことなく利用した人々、生姜や醤油を使いこなしたアジア系移民……つまりあの闘鶏料理には恐れ多くもペルーの雄大かつ激動の歴史が濃縮されていたのである。

トウガラシは四回ひりひりさせる

トウガラシといえば原産地ペルーには実にたくさんの種類がある。闘鶏料理に使われるのは、ロコト（学名 *Capsicum pubescens*）と呼ばれる丸くてとびきり辛くて旨味深い品種である。ペルー料理の代表選手であるセビッチェ（ペルーを代表する魚介料理。鮮魚、貝、甲殻類等の身をぶつ切りにして、トウガラシ、塩、ニンニクなどで味を調えたレモン汁に浸してマリネにしたもの。コリアンダー、タマネギ、茹でトウモロコシ、茹でサツマイモなどが添えられる。隣国のエクアドルやチリはもとより、中米諸国やメキシコのレストランでも食べられるが、その発祥の地は言うまでもなくペルーである）によく添えられるのもまたロコトである。ロコトは俗に「四回ひりひりさせる」と言われている。たしかにスライスされたものをパプリカと間違えてカリっと噛みしめた日にはしばらく口内が焼けて涙が止まらない。長く苦しむけれどこれで一回。次は辛さのあまりお腹がゆるくなって排出時に一回。続いて排出されたものを犬が食べるときに一回。犬もお腹がゆるくなって最後の一回。だから私は夜行バス移動の前にはセビッチェを食べないことにしている。締めをこの話にしたこと、どうかお許しください。

のんびり屋のヒッチハイク強盗
——考古学者が遭遇する犯罪

犯罪への警戒

日本人でも米国人でもそしてもちろんペルー人でも、ペルーで発掘調査をしている考古学者なら犯罪被害を未然に防ぐ工夫をあれこれ凝らしている。私が最も警戒しているのは、発掘作業員への給与支払いである。地方の農村などでは銀行口座を持たない者が多いので、現金で週払いする。ということは、金曜に多額の現金を持ち歩くことになるから、そこを狙われる。犯罪者は事前に獲物の行動パターンを調査しているのである。我々のところより治安の悪いエリアとはいえ、某国の考古学調査団が狙われて測量機材などを奪われた話を聞いていたから、私はできるかぎり行動のパターン化を避けてきた。支払いを遅らせて、通常は休日である土曜に払ったこともあったが、たいていは前倒しにした。思い切って水曜に払ったこともある。これは作業員から好評だった。先払いするということは、信頼することでもある。こんなふうに扱われたことはないと喜んでくれた。そして信頼に応えて仕事を頑張ってくれた。近年はSNSにも気をつけている。調査中にリアルタイムの情報発信はやめたほうが良い。そのように関係者にもお願いすることにしている。公開アカウントから発信されようものなら、どこで犯罪者の目にとまるかわからない。とりわけ田舎では「日本人金持ち神話」が残っているから厄介である。

日本でもネットで有名になった「恥の壁」（首都リマ南東部にある、高級住宅地ラス・カスアリーナスと貧困層が暮らすパンプローナ・アルタ地区を隔てている全長約十キロメートルの壁）が象徴しているように、ペルーはコントラストの激しい国である。あのような貧富の格差だけではない。治安の良し悪しもまた、同じ国内とは思えないほどである。国連薬物犯罪事務所による統計資料を見れば、地域差は一目瞭然である。私が発掘調査を行うアンカシュ県は、どちらかと言えば治安が良い方である。しかしその内部にもコントラストがある。本書の「どろぼうの町で旋盤工を探せ」（218ページ）で紹介する港湾都市チンボテは、クセになる魅力を持ってはいるが、こと治安面では他人にオススメし難い。一方で、そこから車で小一時間の距離にある小さなネペーニャの町は、玄関に鍵もかけずに外出する住民がいるような町である。

都会と田舎の犯罪

ペルーの都市部では、マジメさを表に出していては少々生きにくい。抜け目のなさやずる賢さすら肯定する植民地時代以来の伝統的な価値観が残っている。外から眺める外国人だけでなく、一般のペルー人や知識人層も自嘲気味に説明することがある。たしかにそういう面はあって、ペルーで生活したことがある者ならば、誰しも一度は身をもって実感している。そしていったんそんな社会に慣れると、抜け出したくてもなかなか抜けられない。外国人もペルー色に染まっていく。美しいペルー人女性と結婚して長年リマに住んでいるドイツ人教授がいる。私がペルーに留学したときの受け入れ教員であり、敬愛する考古学者である。この大先生を我が愛車の助手席に乗せてリマ市内の渋滞道路を運転していると、よく助言をいただいたものである。

「そこっ！　突っ込め！　割り込め！　永遠に進めないぞ！」

信号のない交差点や大通りへの合流地点では、日本ならば交通ルールに則って順番を守ったり、譲り合うことで、比較的すんなり進める。車間距離もそれなりに空く。しかしペルーの大都市では、ただ交通ルールを守るだけではまともに運転できない。気を抜くととんでもないところから割り込まれる。少しでも車間距離をとると割り込まれる。とにかく隙を見せたら割り込まれる。だから前の車にベタ付けする。逆にこちらから割り込まないと進めないところでは、なにはともあれ車の鼻先を突っ込ませる。気迫が肝心である。リマでの運転はストレスフルで、とにかく疲れる。みんながルールを守ったり、譲り合ったりすれば、みんなの運転ストレスが減り、誰もが目的地に早く着くだろう。たぶんみんなわかっている、けれどできない。自分だけがマジメになれば、自分だけが損をする。まさに「囚人のジレンマ」を地で行く日々なのである。

地方に目を移すと、県庁所在地などの大都市部を除けばびっくりするほどのんびりしている。ペルーの田舎は車そのものが少ないこともあって運転は楽しい。僅かな時間を惜しんでせかせかするような人は少数派である。その一方で、みんな感心するほどよく働く。そして公平性を重んじる空気がある。もちろんユートピアではない。抜け駆けを良しとせず、出る杭は打たれる。成功者は噂と陰口の標的にされてストレスを溜める。しかし昔ながらの地元有力者には敬意が払われる。なんだか日本のどこかを見ているかのように錯覚してしまう。

犯罪も都市部と農村部では大違いである。都市部では盗みに入る店舗の警備員とグルになって首尾よく売り上げをかっさらっていく空き巣や強盗がいる。スリにいたっては、よくもまあこんな方法で！　というあきれた芸当を見せる達人もいる。

一度聞いて忘れられないテクニックは「釣り」である。人混みの中ですれ違いざまに標的の上着やズボンのポケットに小さな強力磁石を投げ入れる。磁石には釣り糸が結び付けられている。人混みに隠れて糸を手繰り寄せ、硬貨の塊をせしめるというものだ。実は、ペルーの硬貨の中で最も高額な5ソーレスと2ソーレス硬貨だけが磁石に付く。そしてお金を財布に入れない人が少なくないため、結構な額を集められるわけである。

若い頃、首都リマ旧市街の下町の盗品も扱うような治安の悪いガラクタ市で、発掘調査に使えそうな道具を物色していると、ズボンの尻ポケットで一瞬何かが素早く動いた。手の感触とは違う気がする。即座に振り返ったが見えるのは何人かの後頭部ばかり。何が起こったのかよくわからない。もちろん尻ポケットに財布や現金を入れるなんて日本でもやらない。リマに住んでいた頃は、常にトイレットペーパーを一回分だけ丸めて突っ込んでいた。おかげで事なきを得たが、あれこそ噂に聞く「釣り」だったのではないかと疑っている。

私は用心深くやってきたおかげか、ほとんど犯罪被害を受けたことがない。しかし一度だけ手痛いダメージを被ったことがある。大学院生の頃、リマの私大生とお付き合いしていたのだが、何回目かのデートで入った開放的なカフェでやられた。比較的治安が良いとされるミラフローレス地区の中心部で、週末の午後だから人出は多い。それなりに警戒していたつもりだったが、いつのまにか相手の顔とおしゃべりに意識が集中してしまい、気がついたときには私のバッグだけ消えていた。貴重品だけでなく仕事ツールも入っていたから痛恨である。店員や周囲の客からの情報を総合すると、大きなカバンを持った小ぎれいな若い男女四、五人が、私のバッグを彼らのカバンの陰に隠す形で持ち去ったらしい。なんでもグループ客を装った集団置き引き事件が多発しているとのこと。都市部の犯罪スタイルと、周囲の人は助けてくれないこと、そして何かに夢中になりすぎることのリスクを学んだ。

他方、田舎の犯罪は、通常ひと気の少ない時間帯に行われる。家畜どろぼう、収穫物どろぼう、強盗などである。日没後だけでなく、意外と早朝も危ない。私が発掘の拠点にしている人口二千ほどのネペーニャの町は、田舎の中でも特に治安の良いエリアである。それでも町外れの街道沿いでは、明け方に強盗が出没することもあるそうで、用心するように町の人が警告してくれる。だから私が率いる発掘調査は朝の七時にスタートする。遺跡は街道沿いの耕作地の中にあるから、薄暗くひと気の少ない六時頃はちょっと怖いのである。ところでペルーの田舎は実にのんびりしているが、犯罪者に対しては苛烈な側面を見せることがあり、昔から自警団による私刑の逸話には事欠かない。ネペーニャでも深夜の民家に侵入して女性に暴力を振るった強盗が、物音を聞きつけて集まった怒れる町民たちから袋叩きにされ、身の毛もよだつ私刑を受ける寸前に警察が介入して救出されることがあったと聞く。その後、あの町は怖いとばかりに、しばらくは犯罪者に避けられるようになったらしい。

都会で揉まれた知能犯が田舎に流れてくると、小さな町ごと騙されることもある。ネペーニャでも、偽の出稼ぎブローカーによる集団詐欺事件が発生している。日系人を騙《かた》る男がやってきて、この町で恋人まで作って馴染んできたところで、集めた金とともに消えたそうである。日本への出稼ぎを望む者が多かった90年代らしい詐欺である。

予見された強盗

また前置きが長くなってしまった。大学院を出てから数年間はペルーを研究と生活の拠点にしていたので、一回の発掘に三か月以上かけることもできた。発掘は毎日が発見の連続で真剣勝負といえば確かにそうなのだが、長丁場では緊張感が続かずにチームの士気が落ちてくる。だから週末の過ごし方が大事なのである。有名な考古学者の訪問を受け入れたり、まだ誰も発掘したことのない面白そうな遺跡を見に行ったり。みんな若く体力もあったので刺激的なアクティビティを詰め込むのが常だった。ある週末、私がペルーでお世話になっているドイツ人教授夫妻が見学に来た。隊員であるペルー人学生達の指導教員でもある。発掘現場を案内して一通り説明し、翌日は私の運転で奥地の遺跡を見に行くことになった。まずは経路の安全情報を、このネペーニャの町で一番信頼している友人ペペに尋ねる。すると、ちょっと気をつけたほうがいいよと、気になることを言い始めた。奥地へ向かう際に必ず通るモロという町があるのだが、その手前にある橋のたもとに、強盗が出没しているらしい。大切な客人を連れて行くのにそれは大変だと思い、詳しい話を聞いた。賊は土木作業員の恰好をして、通行する車に乗せてってくれとお願いし、頃合いを見計らって犯行に及ぶとのこと。ペルーの一般土木作業員は通常オレンジ色の安全ベストを身にまとい、黄色いヘルメットを被っている。ちなみにヘルメットは職種によって色分けされるので、現場監督や技師は白、学生は青などと決まっている。さて、仮にこの強盗の噂が本当だとして、犯行現場から二十キロ近く離れた町の一市民の耳に入っている情報である。しかも賊の恰好が恰好だけに目立つことこのうえない。当然警察も知っているはずだし、だとしたら既に逮捕しているか、防犯のために現場近くに張り込んでいるはずだ、などとは微塵も考えなかったので、私は既にペルー生活に適応していたのだろう。

発掘のある平日は六時過ぎに慌ただしい朝食をとるのだが、週末なので朝をゆったり過ごす。愛車のボンネットを開けて、普段より丁寧に各所を点検し、下回りも確認する。走行距離四十万キロ近いジープ社のチェロキーは、17年落ちの中古で、新聞の「売ります・買います」

欄から所有者に連絡をとって購入した。本日もエンジン快調である。リマ市の教習所に通い、命からがらの公道実習を経て免許を取ったのだが、すぐに事故で中破してフレームが歪んでいる。そのせいか車内はかなり騒々しい。ああそういえば事故の時に保険屋と警察を呼んだら、保険屋は素晴らしい対応で驚かせてくれたが、警察には逆の意味で驚かされた。事故車は一時的に警察が保管するのだが、戻ってきたときには埋め込みスピーカーやら何やらが蒸発していた。盗難場所が場所なので、そして推定犯人が犯人なので盗難保険を使うわけにもいかず、仕方ないので酒席のネタにして気を晴らした。

　愛車にドイツ人教授夫妻とペルー人学生二名を詰め込んで、私が運転する。出発したのは十時近くだったように思う。その時間だと気温は既に三十度近い。まずはネペーニャとモロの中間地点にある岩山の麓に車を止め、岩山を登って紀元前3、4世紀頃の城塞遺跡を教授夫妻に案内する。皆けっこうな汗をかく。少しお腹も空いてきた。早くモロに行ってランチにしたいものである。件の橋があるあたりは河谷の中流部であり、熱気がこもって一層暑かった。当時は乾いた未舗装道路だったので、トラックの後ろにでもついたら砂埃で視界が真っ白になる。幸いこのときは、乗り合いタクシーである中古の日本製ステーションワゴンとすれ違っただけなので、窓を全開にしてなかなか快適な旅だった。

　やがて、うっすら埃をかぶったフロントガラスの向こうに橋が姿を現した。その手前の左側に中肉中背の人影が見える。あ、黄色いヘルメットだ。オレンジのベストも着ている。手にしたスコップを持ち上げて、乗せてくれと言わんばかりである。ペルー人学生が「満車でーす!」と声を上げた。さあ、橋を通り過ぎるやいなや、車内はあの男の話題で持ち切りとなる。

「おー本当にいたねえ!」

「え? あれが強盗? ただのヒッチハイクじゃないの?」

「いやいやこのあたりのどこに工事現場があるっていうのさ(笑)」

そこから数キロ先にあるモロの町は、果樹園と畜産業が盛んである。とろとろに柔らかくなった煉瓦サイズの巨大なブタ肉塊の煮込みを頬ばっていると、黄色いヘルメットの男のことなど皆どうでもよくなってくるのだろう。料理と遺跡の話題ばかりになる。食後はさらに奥地で三カ所の遺跡を巡り、またモロに戻って一服し、帰途についたのは午後四時近かった。往路と比べて皆の口数があきらかに減っている。よく食べた上に炎天下を歩き回ったから眠くなって当然である。

モロを出てしばらくすると、またあの橋が見えてきた。このあたりの記憶は定かではないが、たぶん誰もあの不審者の話をしていなかったはずである。それぐらい遺跡とブタ肉塊の刺激が強かった。そして橋を渡るとすぐ、あの黄色いヘルメットの男が立っていた。今朝と全く同じ恰好で、スコップを上げてヒッチハイクする姿が車の右側を流れていった。車内でどんな話題になったのか覚えていない。ただやはり強盗だとわかった気がした。だいたいこの炎天下、近くに日陰もない乾いた谷底である。ただのヒッチハイクがこんな場所で六時間も待つなんて正気の沙汰ではない。強盗だったとしたら少しのんびりしすぎではないか。貧しくてお腹が空きすぎて頭が回らなかったのだろうか。いや単にこの強盗は近くの集落に住んでいて、お昼ごはんは家に戻って食べたんじゃないか。いや岩陰にお弁当と水筒を隠していたのかもしれないな。そんなこんなを想像しながら運転していたら、いつの間にか宿舎のあるネペーニャの町に戻っていた。同乗者たちは皆うつらうつらしていた。

副隊長は魔女――でも憑りつかれ、お祓いされる

二代目副隊長のこと

ペルーの考古学調査条令では、外国人考古学者が単独で発掘プロジェクトを率いることは禁じられている。必ずペルー国籍の考古学者と共同で率いる形を取らねばならない。私の零細プロジェクトでは、これまでに三人のフリーランス考古学者（『政治もこわい――考古学者の派閥と下剋

上」200ページを参照）を副隊長として迎え入れてきた（写真7）。一代目が二代目を紹介し、二代目が三代目を紹介し、その後また二代目が副隊長として戻り、現在に至る。某地方国立大学の学閥である。

最も付き合いの長くなった二代目副隊長は、一代目によると気が強くて「取り扱い注意」だが、とにかく信頼できる女性考古学者とのことだった。それに私の調査地に最寄りの港湾都市チンボテ（「どろぼうの町で旋盤工を探せ」218ページを参照）の出身だから、土地勘も申し分ない。ペルー人男性考古学者たちのマチスモ（177ページ）にうんざりしていたらしく、私のところは決して羽振りの良いプロジェクトではないが、居心地よく働いてもらっている。結婚してからはリマ市郊外に住んでいる

写真7　発掘現場で地元住民に説明する副隊長（2004年）

が、仕事のある夫を自宅に残し、ようやく歩き始めたばかりの息子と大量のおもちゃとベビーシッターを連れてネペーニャで現場入りし、育児と発掘の両立という至難の業をやり遂げたこともある。我が家も共働きなので、子育てする考古学者として私はこの副隊長を尊敬し、お手本にしている。彼女には、尊敬できる仕事人であることの他に、もう一つ大きな特徴がある。やたらと勘が鋭いのである。なにかと言い当てることが多いので、「魔女」と呼ばれることもあるらしい。私もやられたことがある。ある年の発掘で、まだ知り合ったばかりの女性からいただいたお菓子を夕食後のテーブルに出した。副隊長は一口かじるや「んー、これは結婚の匂いがするわね！」と宣った。そしてその2年後に私はお菓子の女性と式を挙げた。

さて今回の「怖い話」は、ある日の発掘を終えて皆でビールを飲んでいるときに、この二代目副隊長が語った話である。もう十数年前のことだが、どうにも忘れられない。今回メールでお願いし、詳細を補足してもらった。

魔女たちも憑りつかれる

2001年にペルー最北部アマソナス県の高地でチャチャポヤス文化の遺跡を測量する仕事をしていたときのこと。まだ電気も通っていない最寄りの村に寝泊まりし、そこから毎日一時間山登りをして遺跡に通った。大変ではあったが、遺跡への道のりは素晴らしい景色だった。

しかし二つだけ気になることがあった。ある日、トレオンと呼ばれる遺跡内のとりわけ高い所へ上った際、近くで不思議な口笛の音を聞いた。ところが調査隊の誰も吹いていないという。そして何より「あの遺跡は良くないよ」「あのあたりで何人か行方不明になっているよ」「午後三時以降に行ってはいけないよ」などと村の住民が言っていたのである。

幸いにして何も大事は起きず、一か月の調査は無事終了した。しかし村を出て家路についたときから、副隊長はどんなに眠くても一睡もできなくなってしまった。ある日、久々に実家を訪れると、母親は一目で娘の異変に気がついた。すぐに母親の古くからの友人であるクランデーラ（アンデスの伝統的まじない師）に来てもらうことになった。副隊長が小さい頃から何度か家に来て「治療」してくれた女性であり、「魔女さん」と呼んでいたそうである。副隊長が事情を説明すると、まじない師は「いったいどこへ行ってきたんだい!?」と怒った様子で、数種類の薬草とアロマエッセンスを持ってくるよう言いつけた。そして今回の「治療」の詳細を説明した。

「金曜の午後六時、場所はあなたの部屋じゃないとだめ。ベッドのシーツは白、パジャマも白にしなさい」

そしてその金曜、副隊長は大きなプラスチックの盥《たらい》の中に座らせられた。まじない師のおばさんは祈りをあげながら、手にした薬草の束で頭のてっぺんからつま先まで副隊長の全身を軽く叩いてまわった。続いて副隊長はアロマ湯を浴び、白いタオルで身体を拭き、白いパジャマを着た。そして、おしっこだろうが何だろうが起きてはいけないと忠告を受けると、白いシーツのベッドへ直行となった。あれほど眠れなかったものが、すぐに深い眠りに落ちた。そのまま十二時間ほど眠り続けた。心配して様子を見に来た母親に起こされると、体調はすっかり回復していた。その後、不眠症状が再発することはなかった。

長い眠りから覚めた副隊長は、まじない師に電話をかけた。とにかくお礼が言いたかった。電話は通じた。しかしまじない師から返ってきた言葉は意外なものだった。

話によると、「治療」を終えて帰宅したまじない師は急に具合が悪くなり、激しく嘔吐し、右腕が痺れてしまった。結局このまじない師も別の人に「治療」してもらうことになったのである。そしてもう一度彼女は副隊長に尋ねた。

「いったいぜんたいどこへ行ってきたんだい？　気をつけないといけないよ。悪いエネルギーのある遺跡もあるからね」

数年後、副隊長はあの遺跡を一緒に調査したメンバーと再会した。彼はその後も遺跡に残って調査を継続していたそうだ。一部で発掘も行ったところ、あの不思議な口笛が聞こえたトレオンと呼ばれる一角は、かつて人身供犠の場所だったと判明したそうである。

発掘調査を始めるまでの手続き

――慢心したら調査期間が半分に

百ページを超える申請書

ペルーで発掘調査を行うには、ペルー文化省による二段階の許可が必要である。いずれもオンライン申請はできないから、我々外国人考古学者は自らペルーに渡航するか、信頼できるペルー人考古学者に委任して申請することになる。第一段階は、プロフェッショナル考古学者としての登録許可。外国人考古学者の場合、かつては修士以上の学位、ペルーにおける複数の考古学調査参加経験、そして推薦状二通が必要だった。いまは学位をペルー国内の大学で再認証しなければならないので、ハードルが上がっている。とはいえ、一度登録されれば生涯有効な資格となる。第二段階は、調査を実施する度に必要な許可である。ペルー考古学調査条令の冊子を熟読し、これに沿う形でプロジェクト申請書を用意する。申請書と言っても紙切れ一、二枚で済むものではない。調査の目的、先行研究と課題、遺跡内の発掘区詳細、調査メンバーの経歴と役割分担、調査スケジュール、調査方法、機材と設備、保存修復関係、調査終了後の分析などデスクワーク関係、出土遺物の保管、報告書作成の段取り、調査予算、成果公開方法などなど、詳細な図表入りで数十ページから、場合によっては百ページを超える書類を作り上げるのである。継続調査の場合は使いまわしが利くので比較的易しいが、新規調査なら論文一本書くようなものである。そしてもちろん文化省に提出したらそれでおしまいというわけではない。申請書は、文化省内の考古部門で複数のベテラン考古学者による厳正な審査を受けることになる。審査は年々厳しくなっていて、一発で許可が下りることは稀である。通常は、審査員の所見に応じて修正し、再提出を何度か繰り返すことになる。事実上却下されて調査を実現できないこともある。諸々の好条件がそろえば申請書提出から一か月で発掘許可証を受け取れることもある。しかし二か月、三か月、場合によっては半年近くかかることもある。日本の大学教員の場合、8月を中心に最長でも一か月半程度しか海外渡航できないから、調査許可が遅れると大変なことになる。慎重な人は、夏休みの発掘に備えて、その前の春休みにペルー渡航して申請を済ませておく。

発掘が開始できない

私は若いころ数年間ペルーに住み、考古学関係、大学関係、車関係、果てはなぜかインターポールまで、実に様々なお役所手続きを経験した。自分の調査申請だけでなく、先輩後輩の各種申請手続きも代理でこなした。その経験は自信になっているが、慢心してしまったこともある。2012年に初めて常勤の大学教員となり、翌年4月に研究費を獲得。その夏、実に8年ぶりで発掘調査を率いることになった。ハードルの低い継続調査とはいえ、ブランクの間に審査が厳しくなったと聞いていたから、5月中には調査申請したい。ところがそんなときに限って他の仕事で忙しくなる。申請書の完成はどんどんズレ込んで、ペルー人の副隊長にメール添付で送信したのは6月も半ば。発掘開始予定日の一か月半前である。余裕しゃくしゃくではないが、深刻な状況でもない。副隊長はすぐにプリントアウトし、コピーして五部製本し、提出した。その後、文化省からは音沙汰なし。副隊長が文化省へ問い合わせてもなかなか進捗状況がつかめない。私は7月下旬に学生の成績登録を終えるや否やペルーへ渡航した。到着後、何度か文化省を訪問してようやく状況がわかってきた。案の定、申請書は承認されていなかった。間の悪いことに7月下旬に文化大臣が交替し、それに伴って文化省職員も多数入れ替わっていた。ペルーの官庁では珍しくないことだが、少なくとも一時的に手続きの現場が混乱する。それで連絡が付かなかったのである。こういうときは、メールはもちろん電話でも埒が明かない。とにかくできるだけ担当者に直接会って話をしなければならない。結局、遺跡の保存修復に関する部分にちょっとした所見がつけられていると判明した。大急ぎで加筆修正し、再提出した。この時点で既に、予定していた発掘開始日を過ぎてしまった。本当は六週間ほど掘る予定だったのだが仕方ない。一か月ちょっと掘れれば良しとしよう。まだ成果をあげられる自信はある。なんとかなるさ。しかし私の発掘申請はまたもや一時停止した。申請書の修正版はすぐに審査をパスしたから、あとは発掘調査の許可証をもらうだけ。その許可証も印字済みで、そこに考古部門長が署名すればよい。ところがその考古部門長がなぜか文化省に来ないのである。リマで待つ一日一日は、本来なら発掘していたはずの貴重な日々である。もう気が気ではない。

原因は土地ころがし

複数のルートから探りを入れたところ、そのころ新聞沙汰になっていたある事件が原因だった。リマ市郊外に、ペルー考古学の教科書にも出てくるエル・パライソという最古級の神殿遺跡がある。それが不法行為による破壊の危機に直面していた。いや既に、十二カ所あるピラミッド型建造物の一つが、重機でズタズタに破壊されていた。しかも事は単純ではなかった。エル・パライソ遺跡はペルー国家が所有する文化遺産として公的に登録されている。しかしその土地そのものは私有地だから、土地だけの売買は可能ということになる。2012年に土地を買った不動産会社が、遺跡そのものは不可触だと知ってか知らずか、土地を均《なら》し始めたのである。このときペルーは好景気を享受していた。給料は右肩上がり。ガラクタのような中古車ばかりだった90年代とは打って変わって新車販売が好調。新築マンションを購入して数年間生活し、中古として市場に出しても元値より高く売れる。そんな状況だから、土地ころがしがいろいろしでかしてもおかしくない。教科書級の文化財が不法に破壊され、しかも今後の保護も一筋縄ではいかないとなれば、就任したばかりの文化大臣もじっとしていられない。ところが彼女は考古学者ではないから、現場視察には専門家が付き添う必要がある。そこで白羽の矢を立てられたのが考古部門長であり、連日大臣に同行して郊外へ出かけざるを得ないのであった。

短期集中・一点集中で起死回生

さて困った。事情が事情、任務が任務だから、考古部門長の視察が終わるまではじっと待つほかない。しかしいったん文化省に戻れば話は違う。溜まった仕事はいろいろあっても、まずは我々の調査許可証に署名してもらうよう働きかけねばならない。こういった状況では人間関係がものを言う。ペルーに住んでいた8年前ならば、何年もかけて築いたコネのネットワークがあったので、お役所内のあちこちで友人や知り合いが融通を利かせてくれた。しかしそのネットワークは長年のブランクですっかり断片化している。考古部門長は知らない人だし、その周囲の職員にも親しい人はいない。もう自分ではどうしようもないが、なんとかしないといけない。会う友人、会う友人に事情を話して泣きついた。どの友人のコネが作用したか定かではないが、あるとき急展開し、翌日に交付できるから文化省へ来てくれということになった。

申請書の修正版を提出してから二週間、ペルー入りしてからだと三週間も経っていた。許可証をもらったのが火曜午後。水曜朝にリマを出発し、木金で準備を終え、土曜から発掘作業を始めた。調査期間はなんと当初の予定の半分、三週間になってしまった。でもなんとかしなければならない。通常は土日を休みとするが、調査メンバー全員と相談のうえで土曜は給料を二倍にして発掘することにした。そして発掘区を絞り込んで、短期集中・一点集中で成果をあげることを狙った。結局なんとかなって、この年の調査成果はペルーでも日本でも各種メディアで報道される大発見となり、さらに新しい研究テーマを生み出した。帰国後、ホッと一息ついたころ、そんな体質でもないのに全身に蕁麻疹《じんましん》が出て病院へ駆け込んだ。

政治もこわい——考古学者の派閥と下剋上

政治には関わりたくないけれど

好むと好まざるとにかかわらず、人は生きている限り政治と無縁ではいられない。そんなような意味のことを、ペルー人経営者から言われたことがある。当時学生だった私にはいま一つピンとこなかったが、その後、大学院を出て一年目にして地球の裏側で嚙みしめることになった。考古学というと浮世離れしたイメージがあるし、浮世のあらゆる事象と日々取り組むテレビマンには「霞でも食べてそう」と言われたことがある。たしかに性欲、物欲、金銭欲などあまり欲望が多すぎると研究者には向かないとは思う。しかし傍目には脱俗したかのような世界でも、もちろん権力欲だけはあちこちで噴き出している。それに様々な立場や価値観があり、人間関係には好き嫌いもあるから、どうしたって派閥はできる。要職のポストは限られており、不平不満を抱える人はいくらでもいるから、下剋上も起きる。そもそも義務投票制で罰則規定まであるペルーでは、政治はより身近であり、性別を問わず政治ネタは好物である。大統領選挙ともなると投票率は80％を超え、SNSでは考古学者やその卵である学生も特定の政党やイデオロギーを支持する立場からあれこれ言い合うのが常である。

はじまりは怪文書

ペルー考古学界を揺るがす異変の兆候が最初に現れたのは、2004年の2月のことであった。長年ペルーで発掘している米国人考古学者、外国調査団とかかわりの深いペルー人考古学者、そしてなぜか私も含んだ合計十名にも満たない相手に、匿名の怪文書がメールで送られてきた。ペルー国立のA大学、B大学、C大学の考古学教授三名ほどが、ペルーの「考古学者会」を私物化し、米国人考古学者や海外で学位を取ったペルー人考古学者たちを狙った外国関係者排斥運動の拠点にしようとしていると警告する内容だった。当時の私はペルーを生活と研究の拠点にしていたが、日本に一時帰国していた。4月から3年任期の政府系研究員になることが決まっており、博士論文を書くための二度目の発掘調査を計画していた。これでまた1、2年は日本に戻れないだろうから、日本でしか買えない調査器材を集めたり、定年を迎えた老親に会ったりと、なかなか忙しく、怪文書のことなどすぐに忘れてしまった。そもそも考古学者会なるものに聞き覚えがなく、何が問題なのか少しもわからなかった。それに、非難されていた国立大教授の中には、キャンパスやカフェで見かけたら世間話をする程度にはお付き合いのある方もいたし、我が恩師の旧友もいた。彼らが外国人排斥運動をするという情報はあまり現実感がなかった。

何が何でも緊急発掘したい

2004年の発掘調査は、私にとって考古学者としての生き残りをかけた勝負所であり、8月に開始、12月に終了という長丁場であった。2002年に着手したセロ・ブランコ遺跡を今回は大規模に掘り、一応のけりをつけるや否やネペーニャ川を挟んで2キロメートル南方のワカ・パルティィーダ遺跡を短期集中的に掘った。セロ・ブランコ遺跡で打ち立てた自説を、ワカ・パルティーダ遺跡で検証したかったのである。首尾は上々どころか、想定以上の成果があがった。幅5メートル以上、高さ2メートル以上という圧巻の規模で、鮮やかな赤、青、黒、白で彩色された翼と鉤爪《かぎづめ》の生えた人物の、恐ろしく保存状態の良い壁画を発見してしまったのである（写真⑧）。控えめに見積もっても、ペルーの大手新聞に大発見と報道されるだけのインパクトがある。おまけに他にも多数の壁画が眠っている証拠をつかんでしまった。とんでもなく貴重な遺跡に出会ったのである。

ところが私は今回で発掘調査に一区切りをつけ、博士論文執筆に集中するつもりだった。就職状況が変化し、ちょうど私の世代から博士号がないと大学で常勤職を得られないだろ

写真⑧　ワカ・パルティーダ神殿遺跡の壁画（2004年）

うと言われていた。そして常勤職に就いていないと研究費の申請で門前払いを受ける。つまり次に発掘調査できるのは、博士号を取って、どこかの大学の常勤職に就いて以降になる。ということは、何年後になるか予測不可能である。一方で、巨大壁画発見の噂は、たとえ現場作業員に緘口令《かんこうれい》を敷いても近隣一帯に広まるのは時間の問題だろう。以前、私が修業時代に参加した某神殿遺跡の発掘では、盗掘者たちによって徹底的に破壊された粘土製巨大人頭像の残骸を調査した。盗掘者たちは人頭像の背後に黄金が埋められていると考えたらしい。もちろんそんなものが出るはずもなく、ただ古代ペルーの貴重な文化財が永遠に失われただけである。これと同じ悲劇がワカ・パルティーダ遺跡に起こるかもしれない。どうすれば良いのか。これまでの経験、ペルー人考古学者の意見、発見物のインパクト、遺跡の立地条件などから出した結論は次のようなものであった。発見を隠すのではなく、むしろ大手マスメディアに詳細情報を提供して大々的に報道してもらう。ペルー中に注目されたら、そこいらの盗掘者では手が出せまい。それに、大学の看板も背負っていない薄汚れた若手外国人考古学者のアカデミック臭ただよう説明よりも、歴史ある大手新聞という権威の方が一般市民にはわかりやすいことがある。地元警察、市役所、なにより遺跡周辺の善意の住民にも遺跡保護をお願いしやすくなる。とはいえ、もう12月になる。今回の発掘調査期間はあと数日しか残っていない。いま取材陣がやってきても応対する余裕なんてない。そこでやむなく翌年に緊急発掘調査を行うことにした。博士論文の執筆は遅れるが、まあなんとかなるだろう。それに本音ではこの遺跡をもっと掘りたくてたまらない。緊急調査までの八か月間は、二十四時間体制で遺跡に番人を置く。番人の給料は地元企業に出してもらえることになった。そのようなわけで、翌年に是が非でも緊急発掘調査をやりたい、やらねばならないという宿題を抱えて、すっかり夏になった12月上旬、リマ市の古アパートに戻ったのである。

弁護士は弁護士会に入らねば仕事ができぬ。考古学者も……

街は既にクリスマスの雰囲気で満ちていたが、私はそれどころではなかった。あの怪文書にあった考古学者会が、降って湧いたように大学でも友人宅でも話題の中心になっていた。なにしろその会員にならないと今後は一切発掘調査できないというから穏やかでない。しかも、多くのペルー人にとっては会費などが高額で、私のような外国人にとっては入会要件が厳しいという。まずは身近なところで情報を集めた。

考古学者会は昨日今日できた団体ではなかった。その設立法案が承認されたのは1986年。反米左派政党APRAのアラン・ガルシアが大統領だったころである。それから18年後の2004年9月、つまり私が研究者人生を賭けた発掘をしている最中に考古学者会の定款を法的に有効化する大統領令が発布された。この定款の内容が、考古学業界に大混乱を巻き起こしつつあった。考古学者会というのは日本（そしてペルー）における弁護士会と似た団体である。つまり入会しなければ、ペルーの領土内で考古学者としての仕事をすることができない。発掘、踏査、遺物の輸送、その他ありとあらゆる公的手続きを要する考古学活動である。

おまけに我々外国人や、外国で学位を取ったペルー人が入会するには、学位（修士号または博士号）をペルー国内で「再認証」しなければならない。しかしその手続きは、めまいがする程のお役所巡りを意味していた。私がペルーで山ほどこなしてきたお役所手続きの経験から予想するに、頑張っても半年、へたすると丸一年かかってもおかしくない。

さあこれは大変だ。来年の発掘までに入会できるのか？　それに発掘を予定しているのは私だけじゃない。このままでは日本の恩師や研究仲間達のプロジェクトも頓挫する可能性がある。いまペルーに残っている日本人考古学者は他に誰もいない。正確な情報を集めて一刻も早く日本へ送らねば。

そのようなわけで、クリスマスと年始を挟んでの一か月ほど、リマ市街を北に南に東へ西へと愛車を駆って情報収集に努めることになった。当時のペルーでも携帯電話は普及していたし、都市部ならメールは誰もが使っていた。しかし大事なことは直接会って話をしないといけないのがペルーである。サン・マルコス大学、ペルー・カトリカ大学、文化庁、外務省などで要人を訪問した。また各種講演会など考古学者の集まりそうな場所や、「考古学者会」本部には何度も足を運んだ。そうして見えてきたのは、あの怪文書が警告していたような外国人排斥ではなく、ペルー人考古学者達の派閥抗争や下剋上とでも言えそうな事態であった。

「考古学者会」本部

リマ市中心街の古ぼけたビルの一室に本部が設置されていた。デスク、椅子、書架など最低限のオフィス家具はあるが、書架に並べられた本や書類は僅かである。開設されて間もない印象を受ける。受付の女性は私の恩師達を知っているようで、にこやかに対応してくれた。しばらくして説明に来たのは、中心的な役員であり、件の怪文書で槍玉に挙げられている人物だった。彼の話は思いのほか丁寧で、始終友好的な雰囲気だった。怪文書が言うような外国人排斥の空気は感じられない。とはいえ、私が直面する問題の厳しさはひしひしと感じられる説明だった。

曰く、考古学者会の定款にある通り、国籍を問わず考古学者は入会しないと一切の考古学調査ができない。考古学に関する公式書類に署名することもできない。また厳密には、ペルー国内の大学で考古学の教鞭をとるためにも入会する必要がある。ただし考古学者会は始動したばかりなので、様々な省庁と調整を行っている最中である。それで目下のところ、諸々の件が一種の法的空白状態にあるが、来月にでも確定するだろうとのこと。外国人考古学者が直面している問題、特に学位の再認証手続きの難しさは承知しているが、皆これを済ませねば入会できない。ただし一種の移行期措置がとられるかもしれない。つまり、学位の再認証には時間がかかるので、各自その手続きが終わるまでは、文化庁と考古学者会の間で何らかの調整を行い、継続調査ならば未入会者にも許可がおりる可能性はある（結局そのような移行期措置が実現することはなかった）。ただしその場合にも、再認証学位を除いて、その他全ての加入に必要な書類を提出し、すべからく入会手続きを開始せねばならない。

文化庁長官の意見

当時の文化庁（現在の文化省）は、前節「発掘調査を始めるまでの手続き――慢心したら調査期間が半分に」（195ページ）で解説したように、発掘調査の許認可や考古学者資格審査の責任省庁である。つまりペルー考古学業界の元締めの座をめぐって考古学者会と利害が対立する。この時の文化庁長官は、某国立大学の伝説的なカリスマ教授でもあった。私などが気軽に相談できる人物ではないが、別件で面会する予定があったので、その場で考古学者会についての意見を伺うことにした。彼は考古学者会の設立趣旨には難色を示さなかった。フリーランスで働く考古学者が多数を占めるペルーの考古学業界には、何らかの互助組織が必要というわけである。一方で、少なくとも体制の急激な変化は好ましく思っていないようだった。

「その定款の実効力に関しては、弁護士に相談しているものの、もはや文化庁としても認めざるを得ない。考古学者会に入会していない外国人考古学者が発掘を行う場合、入会済みのペルー人を代表者としてたて、書類上は外国人考古学者をただの参加者としておくしかないだろう」などと、ざっくばらんに語ってくれた。また、この情報を日本にいる私の恩師や研究仲間たちに報告しておきなさいと忠告してくれた。

ダース・ベイダーの意見

研究者としての高い実力に加え、権力者としての剛腕ぶり等から、「ペルー考古学界のダース・ベイダー」と陰でささやかれていた私大系の大物考古学者にも会いに行った。私がペルーでお世話になっているドイツ人教授と対立関係にあったため、だいぶ躊躇したのだが、米国考古学界と太いパイプを持つこの大物の意見はぜひとも聞いておきたかった。この騒動への軽い苛立ちを隠さない一方で、自分の基盤は揺るがないという自信と余裕も感じられた。

「大学に職を持たなかったり、学術的に実績のない連中ばかりが中心メンバーだろう？　どんな団体かわかるというものだ。私は最後の最後まで入会しないよ」

ところがそう言った後で、

「君ら外国人の場合は事情が異なる。私はペルー人でペルー国内の学位も持っているから、いざというとき入会が簡単だからね。外国人の場合、早めに入会手続きを始めておいた方が無難だろう。考古学者会の定款が国の最高令で承認されてしまったことは事実だから無視できないぞ」

このほか収集した様々な情報を押し並べてみると、国立大の教員は既に入会している者が多い一方で、有力私大の教員は反対論者が多かった。私大教員には海外で学位を取っている者が多く、外国人と同じ学位再認証手続きが必要だから、そもそも入会が容易ではない。また考古学者会が放つ政治臭への警戒も感じられた。

ペルー人考古学者のキャリアパス

ここでペルー人考古学者のキャリアパスについて少し説明した上で、考古学者会をめぐる問題について考えてみよう。キャリアパスは大きく二つに分けられる。一つめは、研究することを重視し、学術的な課題に立ち向かうための最適な遺跡を自分で選んで「学術発掘」し、その成果をもって論文を書く考古学者である。主に大学教員やそれを目指す若手である。地方差、世代差がとても大きいのだが、少なくとも最近は海外留学して修士号または博士号を取得した教員が多い。ペルーでは一昔前まで考古学系の大学院が機能していなかったからである。また、日本の大学と同様に、考古学に限らず常勤職のポストは少なく、大学教育は多数の非常勤講師のおかげで成立している。いわゆる「専業非常勤」講師の問題も抱えている。生活のために複数の大学で授業を受け持つ。タイムカードで管理され、遅刻すると減給である。教室から教室へ、大学から大学へ、毎日「コンビ」と呼ばれるミニバスに乗ってリマ市内を駆け巡る非常勤講師は「コンビ教員」と呼ばれる。高学歴ワーキングプアの問題は、ペルー社会も蝕みつつある。こういった背景もあって、首都リマにある有力私立大学の常勤ポスト争いは熾烈である。伝統的とも言える学内政治の力関係も大いに作用するが、近年は学歴と実力重視の傾向が一層強まっている。母校の有力教授と良好な関係を築いた上で米国等の有名大学院に博士号を取りに行く俊英たちの争いとなる。彼らは比較的裕福な家庭の出身が多い。一方、国立大学は給料が安いこともあって、就職先として敬遠されることがある。教授まで上り詰めればそこそこの収入になるが、准教授はその半額以下だからカツカツだし、助教となると家族を養うのは厳しい（大手新聞エル・コメルシオ紙の2017年の記事によると、国立大教授の月給が約2000ドル、准教授は約900ドル、助教は約600ドルだった。ただし今日に至るまでかなりの賃上げが続いている。一方、同じ頃に某有力私大に勤めていた知人によると、そこの教授は月給約3000ドル、准教授は約1900ドルで、非常勤講師でも週12コマも教えれば月給1300ドル近くになったらしい。なお、ペルーの正規雇用では7月と12月の月給は二倍になることが多い）。だからもっと給料の安かった頃は国立大教員になることを断るケースもあったと聞く。

二つめの方が、考古学者の数は圧倒的に多い。開発などに伴う緊急発掘調査（日本で言うところの行政発掘）に従事し、調査報告書を書くことを主な仕事とする考古学者である。その中には、比較的少数とはいえ研究にも情熱を燃やし、大学教員に負けず劣らず論文を多産する者もいる。文化省（2010年に文化庁から文化省へ格上げとなった）所属の考古学者は、日本における教育委員会所属の考古学者と似ている。ただしペルーの場合は終身雇用のケースがとても少ない。考古学調査を主要業務とする民間企業に所属する者もいる。これも日本と同様だが、ペルーの場合は発掘請負で起業する者も多い。最も多くを占めるのは無所属つまりフリーランスの考古学者であり、文化省や発掘請負会社の短期の仕事を次々にこなして食いつなぐ。収入は全く安定しないが、鉱山開発に伴う遺跡調査などでかなりの大金を得ることもある（発掘請負会社ではなく個人単位でも入札できることがある。入札に勝つと大金が入る場合もある）。彼らはペルー各地で現場から現場へと渡り歩き、遺跡を掘る。定職に就かなくとも悲壮感はない。考古学者に限ったことではないが、周囲を見渡すと経済的に安定していない人はいくらでもいるからである。しかし四十代にもなると老後の年金のことが気になり始める。羽振りの良い男性考古学者の中には、フリーランスで拠点が定まらないのをいいことに、各地で恋人（や愛人）を作る強者もいる。その場限りで終わらず、長期に渡って複数との関係を維持する様は、オスとしてならば尊敬に値する。マチスモ（177ページ）の影響もあってか、おしなべて、男性は給料の安い仕事を受けたがらず、そういう仕事は女性考古学者の方が多くなる。いずれにせよフリーランスで仕事を切らさないためには人間力が大事である。コネの網を張り巡らせ維持するには、学問とは別方向の大変な労力が必要である。私が研究でスランプに陥り、なかなか博士論文が進まなくなり、したがって大学に常勤職を得られなかった頃、長年フリーランスをやっているペルーの旧友（女性考古学者）に叱られたことがある。というのも、私は無神経にも冗談交じりで「日本で研究職に就けなかったらペルーに移住して緊急発掘で食っていこうかと思うよ。ハハハ」なんて放言したからである。これは、日本よりペルーを下位に置き、私が率いている学術発掘よりも彼らが従事することの多い緊急発掘を下位に置く「上から目線」で、失礼極まりない。「甘すぎる」の一言で矛を収め、変わらぬ友人でいてくれる懐の深さを尊敬する。

名もなき考古学者たちのルサンチマン

先に挙げた文化庁内の仕事も、実入りの良い要職であるほど入れ替わりが激しく、大統領や文化大臣が替わったら、数少ない終身雇用者を除いた多くの職員が失職し、新しいメンバーと入れ替わることはしょっちゅうである。また、文化庁も地方支局の仕事となると、逆に条件が悪すぎて長続きしない。いずれにせよまたフリーランスとして現場の仕事などを探すことになる。とにかく流動性の高い業界だから、失業対策として仲間内で仕事を回し合うのは当然かもしれない。その際、基本となるのは出身大学のネットワークである。つまり学閥の影響力は強い。学閥は経済格差も反映している。一方で、当然ながらその「仲間内」からあぶれてしまう者もいる。そうすると経験が積めないし、経験が少ないとますます仕事をもらえないことになる。負のスパイラルである。そのような、なかなか考古学者としての仕事にありつけない「名もなき」考古学者たちからすると、仲間内で魅力的な仕事を回し合ってカネとコネとスキルを得続ける「名の知れた」考古学者たちや現体制へのルサンチマンが溜まるわけである。それが燃え上がり、下剋上の狼煙となったのが、この時の考古学者会問題とも言える。そしていまなお熾火《おきび》のようにくすぶっている。

外国人考古学者排斥？

ところで私のような外国人考古学者への敵対意識はあるのだろうか。考古学者会問題が急浮上する一年前に、外国人排斥を警戒するようにという怪文書が届いたではないか。この問題の発生初期にタイミング良くペルーに住んでいて、まだ若くて怖いもの知らずだからあちこちに顔を出し、言葉にされない当時の空気までうかがい知ったレアな外国人として、私見を述べる。考古学者会を支持するペルー人は一枚岩ではなかった。外国人へ嫉妬のような感情を持つ者もいるが、少数派である。仕事の獲得をめぐって外国人とライバル関係になることがないし、逆に外国人は仕事を持ってくる。そもそも「外国人」と一括りにすることも問題である。各国に抱く感情、個々の外国人考古学者に対する感情は、違っていて当然である。もちろん時の経過や経験によって個人の感情も変化する。

あたりまえのことだが、ペルーへの敬意に欠ける外国人は嫌われる。ペルーでは遺跡発掘に重機を使うことが禁じられているにもかかわらず、インディ・ジョーンズばりの服装でキメてブルドーザーを使ってしまったA国考古学者は、語り草になっている。ペルーで遺跡を発掘させてもらう立場にもかかわらず、世界共通語のようになっている母語（英語）で押し通す者は失望される。たくさん学生を引き連れてきたB国の調査団では、宿舎でネットが繋がらないだのシャワーの出が悪いだのと学生たちが不平不満を漏らすので、そんなに自分の国の環境が恋しいならさっさと帰ればいいのに！　と、副団長を務めるペルー人教授とその奥様にぶちギレられていた。そういうこともあって、私が留学奨学金を得てペルーに住み始める際に同じペルー考古学を志す日本の友人に言われたことをいまでも覚えている。

「自分を日本人の代表と考えて行動してくれよ……」

入会とその成果、そして政治の揺り戻し

考古学者会の内部にどのような思惑があろうが、また入会要件が厳しかろうが、とにかく私は入会を果たして調査を実施しなくてはならない。収集した情報をまとめて恩師や研究仲間たちに送った後、さっそく行動を開始した。事前調査通り、学位再認証の手続きはなかなか煩雑

写真9　ワカ・パルティーダ神殿遺跡のレリーフ。頭部だけで高さ1.6m にもなる（2005年 Marco Rivas 撮影）

で時間を要した。まず日本に一時帰国し、複数の母校、日本外務省、在東京ペルー共和国総領事館で手続きを済ませた。その後ペルーに戻ってペルー外務省、公証人事務所、公的翻訳事務所などなどを巡ることになった。またスペイン語能力の検定も受けねばならなかった。7月下旬に全ての手続きが完了し、入会証明が発行された。なんと、私が初の外国人会員であった。そして歓迎された。8月下旬に考古学者会のセレモニーが催されたので参加すると、ぱっと見では知らない顔の考古学者ばかりだったが、次々に声をかけてくれた。そのなかには日本の恩師達の招きで来日し、私が渋谷の街を案内したベテラン考古学者もいた。知らないうちにいろいろな人達から助けてもらったのかもしれない。

9月下旬になってようやく文化庁の発掘許可証を受け取ることができた。そして二か月弱の発掘で想定以上の成果を挙げ、狙い通りに発見報道を全ペルーに流すことに成功した。2005年から止まっていたこの遺跡の発掘を再開できたのは2013年だから、8年間も放置したことになる（写真⑨）。しかし盗掘者による被害はほとんど出なかった。報道と、報道に触発された地元住民のおかげである。考古学者の中には伝統的マスメディアを毛嫌いする人もいるが、うまく付き合えばこれほど頼もしいものはない。

その後、恩師や研究仲間達も次々に入会を果たし、彼らの発掘調査も無事遂行された。そして2006年、考古学者会による「革命政権」とでも呼べそうな新体制に皆が慣れ始めた頃、

「反動勢力」が盛り返した。そして、「会員でなければ発掘できない」という考古学者会の権力の源は有名無実化された（ところが本書の校正待ちだった2022年に考古学調査条令が改正され、考古学者会は十数年ぶりに復権した）。

どろぼうの町で旋盤工を探せ

測量も考古学者の仕事

少しマニアックな話から入る。考古学調査にもいろいろあるが、私がやってきたのは主に発掘調査である。それも神殿遺跡ばかり。あるとき、自分の研究を長い目で見たらここらで神殿と同時代の居住地遺跡を調査したいと考えた。しかしどこにあるかわからない。実際のところ、私の専門である形成期と呼ばれる紀元前の時代は、一般庶民の住居に関する情報が極端に不足している。滅多に見つからないから、神殿の近くなのか離れているのか、谷底の耕作地に面しているのか河岸段丘上にあるのか、分布の傾向もさっぱりわかっていないのである。とはいえ、ちょうど家庭を持ったばかりだから、長期にわたる本格的な遺跡分布調査は避けたい。なにしろ考古学や文化人類学界隈では、海外で長期フィールドワーク（大学院生やポスドクの場合、留学ではなくフィールドワークを主目的としても、数か月から数年におよぶ海外渡航が可能なこともある。私の場合も、発掘や遺物整理などに従事して、2年半もペルーから帰国しなかったことがある）をしている間にほったらかしにされた配偶者や恋人が不貞を働くという事件が後を絶たない。私は妻の誠実さを信頼しているが、だからといってリスキーなタイミングにおけるリスキーな状況は避けるに越したことはない。

そこで短期間のペルー渡航で成果を得るために、考古学への導入が世界的に進みつつあったドローンを利用することにした。航空写真測量とフォトグラメトリーによる3DCG化を使えば、かつて数か月を要したような仕事が一、二週間で完遂できる。大学の夏休みに二、三週間ほどペルー渡航し、それを2年もやれば十分だろう。

さて1年目の予備調査は上手くいったのだが、ドローンによる航空写真測量だけで広範囲をカバーするとやはりいろいろ誤差が出てくる。そこで2年目の本調査ではちょっとだけトータルステーション（光波測量機）を使って、データ補正用の測量もやることにした。このプロジェクトの共同研究者は二十年来の友人で、友人になったきっかけが学生時代にペルーの遺跡で一緒にトータルステーションを使って測量を担当したことである。勤め先は関西と関東で離れていたが、人柄も能力もお互いよく知っているので、いろいろとスムーズに事が進んだ。

さて、丈夫そうな三脚の上に載った箱型の望遠鏡のようなものを、街中の路上などで見たことはないだろうか？　トータルステーションは、だいぶ価格がこなれてきたが、いまでも百万円以上するのはザラだし、中古でも数十万円する精密測量機器である。それまで私の発掘プロジェクトでは機材を持参できるペルーの測量士に仕事を外注してきたが、今回は自分たちでやる方が効率的なので中古品を購入することにした。ペルーでも買えないことはないが、日本よりだいぶ割高になる。共同研究者が研究費で買って手荷物としてペルーへ運ぶことになった。三脚はどうするか。私の私物がペルーにある。ずいぶん前、「レベル」という安価な測量機器と一緒に、懇意にしているリマの測量機器専門店で購入した。調査地でいつも宿舎として借りている家の大家さんに預けている。万が一紛失されたとしても、安価だから同じリマの店で買えばよい。いずれにせよ、重くてかさばる三脚をわざわざ日本から運ぶ必要はない。

規格を間違える

勤めている大学の期末試験が終わり、学生の成績をつけたらすぐに、共同研究者と一緒に羽田から出国する。二十数時間かけてリマに着いたら、その翌々日には調査地であるネペーニャの町に入る。するとここで問題が発覚した。三脚とトータルステーションを固定するネジのサイズが合わない。三脚側は細管と呼ばれる直径5／8インチ（16ミリ弱）のネジで、トータルステーション側は直径35ミリの太管であった。なんという痛恨の凡ミス！　この二つの規格は基本中の基本ではないか。中年研究者二人が雁首揃えて何をやっているのか。ともあれなんとかするしかない。気を取り直してリマの測量機器専門店に相談すると、ペルーでは細管規格の三脚しか流通していないとのこと。冷や汗が出てくるが、また気を取り直してあれこれ二人で考える。

「近いうちに日本から来る後輩はいないかな?」

「いやーみんなもう現地入りしてるはずだし、そもそも重くてかさばるから頼めないな。学生時代によく行ったリマの古物市場はどうだい? どこぞの外国調査団から盗まれた三脚が流れ着いてるかもよ」

「いやいやそんなレアものを探し回る時間もないし、そもそもあんな闇市場みたいなところ、まだ存在するんだろうかね? ところでこのネジ部分の作りの精密さは測量そのものの精密さには影響しないね。三脚用の太ネジを作れないかな?」

「いや作っても構造上固定できないな。むしろ細管と太管を接続させるアダプターのようなネジはどうだろう? 真鍮やアルミの削り出しで作れるはず」

「それでいこう!」

そんな流れで話は決まった。あとはどこで作るかだ。ネペーニャの町で何人かの友人に相談して回ると、チンボテの町(写真10)に腕の良い「トルネーロ」がいて、あそこならできるだろうとのこと。私は大学でスペイン語を教えているにもかかわらず、初めて耳にする単語である。ネジ職人のことかと思ったら、旋盤工であった。

旋盤工を探せ

こうして、ネペーニャから車で小一時間の港湾都市チンボテへ、旋盤工を探しに行くことになった。チンボテは際立った特徴を持つ都市であり、一度行ったら忘れられない。たいていの町は、視覚的な特徴で記憶される。例えば広いメインストリート、色鮮やかなファサード、古風な店構え……。しかしチンボテはまず嗅覚に訴えてくる。町全体を覆う魚粉の臭気。町を出ない限りこの臭いからは逃げられない。しかしその

写真10 チンボテの町角 ― 壁に貼ってあるのはコラソン・セラーノ〈ペルーのクンビアバンド〉のコンサートポスター（2013年）▶

うち慣れる。地元っ子に言わせると「金の匂い」である。なにしろ漁業と水産業の町だから。町の臭いに慣れると、安くてとびきり美味しい鮮魚料理も楽しめる。ここのセビッチェは最高である。夢にも出てきたほどである。またチンボテは製鉄とモノづくりの町でもある。ここに本社を置く老舗の製鉄会社は全国展開している。金属加工製品を扱う小さな工場や小売店もひしめいている。これまでにも、丈夫で手が痛くならないブリキのバケツや、鋼鉄材を削り出して溶接した片手ツルハシなど、発掘で使う器材を買ったり特注したりしてきた。腕の良い旋盤工がいても全くおかしくない。一方でチンボテは、どろぼうの町でもある。この町は20世紀半ばに好景気を迎え、職を求めて周辺地域から人口が流入し、計画性のない形で急拡大した。しかしすぐに景気が萎んで停滞したため、町は失業者で溢れた。それが原因で今日に至るまでどろぼうが多いと言われる。私がチンボテに行くと言うと、リマではペルー人に心配される。ネペーニャ周辺でごく稀に強盗が出没すると、証拠はなくとも賊はチンボテからやってきたと決めつけられる。

90年代の後半、私にとって二度目か三度目かのペルー渡航時のこと。北部山中での発掘調査が終わり、教授陣と学生の分乗したピックアップトラック二台がリマに戻る途中でチンボテを通過した。私は二台目の後部座席。真昼間に中心部の大通りで信号待ちをしていると、不審者が一台目の荷台後部に走り寄り、荷台シートをめくりあげて中のスーツケースを引っ張り始めた。二台目が不審者にぶつける勢いでクラクションを鳴らしながら急接近すると、あきらめて逃走した。そんなエピソードを、旋盤工探しに同行中のペルー人運転手に話すと、この町では珍しくもないという。そして我々の車がちょうど町の中心部にさしかかったところで不審者を教えてくれた。

「お、見ろよ見ろよあそこに立ってるあの小男あれチョロ（どろぼう）だぜ、獲物探してるのわかるだろ？　ああいうのに気をつけろよ」

ところでペルー人は世界的にみて低身長であることが知られている。分散が大きく、リマなどでは見上げるような大男も散見されるとはいえ、成人男性の平均は165センチちょっと。2020年に『Nature』誌に掲載された論文によると、とりわけ海岸地方の先住民の遺伝的要因が低身長に結び付いているらしい。一方で、共同研究者と、数年前から懇意にしているペルー人運転手は、180センチを優に超える大男である。しかもいわゆる「ガタイがいい」体型である。おまけに一人はスキンヘッドときたもんだから、彼らが並んで歩くと威圧感が凄い。目立つのは良くないとはいえ、これくらい彼我の体格差があれば、なめられる可能性は低くなるだろう。かなり頼もしい。さらに私は顔で努力している。偏見交じりで言うなら、ペルーで強盗に遭う人は日本人だろうがペルー人だろうがそもそも人の良さそうな雰囲気を表情などに滲《にじ》ませている。この地で危ない橋を何度も渡りきった友人に言わせると、常に眉間にシワを寄せておくと、どろぼう除けになるらしい。この助言を十数年間順守した私の眉間には、山﨑努ばりの深い縦ジワが刻まれた。私は貧弱な体型だが、あとの二人はかなりマッチョだから、全員サングラスを装着すれば神経質で不機嫌なボスが武闘派の部下二名を従えているように見えるかもしれない。もちろん今回の三人はみな、治安の悪い地区での移動のノウハウを心得ている。高価な測量機材を車内の足下に隠して、午前中の最も人通りの多い時間帯を狙ってチンボテに入った。ときおり道を尋ねながら裏通りを巡っていると、ネペーニャで聞いた住所へあまり迷わず着いた。

マエストロの腕前

通りに面した素っ気ないドア周りには看板も何もない。ノックして「マエストロ（親方）いますか－!?」と声をかけると、近所の人が「マエストロは外出中だよ、昼前には戻るはずだよ」と教えてくれる。少し買い物をして時間をつぶし、再訪すると、いかにも職人といった佇まいの浅黒い中年男性が出てきた。トータルステーションと三脚を車から持ってきて、共同研究者が部品のスケッチを見せながら説明すると、すぐに作ってくれるという。しかもペルーに慣れた我々の感覚からいってもリーズナブルな値段である。ちょうどサングラスを持っていたので、防護メガネ代りにして作業を見学させてもらうことにした。ドアの先はすぐに作業場となっていた。中央近くに鎮座する年季の入った旋盤が狭い空間で存在感を放っている。周囲を見渡すと、むき出しの薄汚れた煉瓦壁に土の床、隙間の空いたトタン屋根、大小の金属加工用工具、あちこちに垂れ下がる埃をかぶった配線。お世辞にも小ぎれいな場所ではない。しかしよく見るとそれなりに整理されているし、金属の削りカスもきちんとまとめられている。共同研究者はまるでジブリの世界だと評した。私はつげ義春の作品にしばしば描かれる工場《こうば》を思い出した。マエストロが円筒形のアルミ塊を慎重にセットし、作業開始。ときおりギーンという金属音が響く。外径35ミリ内径16ミリほどのドーナツ状に削り出し、ネジ山の角度とピッチはトータルステーションと三脚の接続部分を見ながら調整していく。一時間もしないうちに出来上がった部品は、太管側も細管側も完璧にフィットした。まるで三脚の純正付属品のようだった。すぐにネペーニャへ戻って昼食をとると、さっそく測量作業を開始した。それにしても混沌の町チンボテは味わい深い。この一件でますます気に入った。

遺跡が怖くなるとき

ペルーの海岸砂漠と人骨

私もいちおう考古学者の端くれだから、お化けや心霊や祟りなどの話は冷ややかに聞く立場である。人によって見えたり見えなかったりするなら客観的に確認のしようがないし、そもそもそんなものを信じていたら遺跡なんて掘れるわけがない。やり方によってはアカデミックな研究対象にできないこともないが、私の好みではない。一方で、夏の怪談に震える少年時代を過ごし、少なくとも「ばちあたり」なことはできないように育った一人の日本人としては、自分自身の個人的な体験に気持ちを揺さぶられ、恐れが零れ落ちることもある。

ペルーという国は、大きく三つの自然環境に分けられる。西から挙げると、太平洋岸の平野（コスタ）、アンデス山脈の高地（シエラ）、ブラジル等に繋がる熱帯低地（セルバ）である。熱帯低地は言うに及ばず、雨季限定だが山地もかなりの雨が降る。だから植生は豊かである。ところが海岸平野では、エルニーニョ現象でも発生しない限り、まずまとまった雨が降らない。だから都市部と河川の付近を除けば基本的に砂漠と岩山ばかりなのである。この乾燥した環境は生物には厳しいものだが、遺跡や遺物の保存には好適である。

　古代の壁画が見つかるのは決まって海岸平野の遺跡である。有機物も腐りにくい。千年以上前の衣類の断片やトウモロコシの丸ごとが、乾燥した状態で遺跡から出土するなんてこともまあある。2021年7月にユネスコ世界遺産として登録されたばかりのチャンキーヨ遺跡では、野ざらしの木材が二千年以上そのままの形で残っている。海岸平野では動物や人間の骨が綺麗な形で出てくることなど珍しくもない。時には皮膚や毛が残ったミイラのようなものまで見つかってしまう。そういう人骨は独特の臭いがする。

　人骨といえば、正直のところ私はそれを掘り出すことを恐れている。ただし死体が怖いというより、金製品の出土など「大発見」を恐れるのと同じ理由である。責任ある仕事が増えるのである。自分の研究テーマと結びつけやすいものなら歓迎できるが、そうでない場合はただ大変なばかりである。学術的関心があろうがなかろうが、普段より慎重に調査する。写真撮影や実測（スケッチ）などの記録作業が大幅に増加する。場合によっては監督官庁との手続き、地元の役所・警察・学校への報告や相談、そしてマスコミ対応など、調査とは直接関係ない仕事が矢継ぎ早に飛び込んでくる。そのままでは発掘が遅滞するか、ペースを維持するために細部まで目が行き届かなくなる。とはいっても調査期間は限られているし、発掘はやりなおしの利かない外科手術のような仕事である。だからいつものペースと質を維持するために結局のところ睡眠時間を削って疲労困憊することになるのである。そしてあんまり疲れると集中力が落ちるのはもちろん、免疫力が落ちるのか変なところが膿んで病院行きになり、ますます仕事のペースが落ちる悪循環。これまで発掘中に歯根が膿んで顔が腫れ上がり、400キロ離れたリマの歯医者まで車を飛ばすこと二回。ひょう疽はいったい何回経験しただろうか。だから想定外の墓は掘りたくない。

重苦しい遺跡とパガプー

私の考古学者人生を決定づけたのは、零細プロジェクトの隊長として二番目に発掘した、そしていまも調査・研究を続けている遺跡である。ワカ・パルティーダ（切り裂かれた神殿）と呼ばれるこの遺跡では、ペルー考古学史に残ると評されるほどの発見をしたのだが、初めて掘るときに奇妙な障害があった。私のプロジェクトでは、夜中に無人の発掘現場から出土遺物や発掘道具などを盗まれないように、交代制の番人を一人置くことにしている。たいていネペーニャの町や周辺村落の友人達に信頼できる人物を紹介してもらう。仕事内容に対して給料が良いから、それまで担当者探しに困ることはなかった。ところがワカ・パルティーダでは誰も夜の番をやりたがらない。いろいろ話を聞いてみると、どうやらこの遺跡にはあまり良くない噂があるようだった。遺跡の外壁には小さな横穴が口を開いているのだが、その中に頭を入れて奥を覗き込んだ者は奇妙な夢を見るだとか、発狂してしまうとか。なにより「あの遺跡は重苦しい（ペサーダ）んだよ」という言葉が印象に残った。このあたりの遺跡を荒らす盗掘者たちも容易には手を出しづらい遺跡らしい。結局、夜の番人を二人組にすることでどうにか受け入れてもらえた。

「重苦しい」と形容された遺跡を掘り始めて2年目の時、深刻なアクシデントが発生した。私が発掘調査隊を率いるようになって初めて怪我人が出たのである。それまでは、この土地の伝統へ敬意を払う意味や、調査のスムーズな進行といった合理的な動機から、遺跡で行う地鎮祭的な伝統儀礼パガプー（通常は大地への供犠儀礼を指す。ネペーニャでは、遺跡の表面に小さな穴を掘り、皆で一本のタバコを一口ずつ吸って回し、穴に納める。パンやコカの葉を納めることもある。調査中の皆の無事を祈願しながらトウモロコシのチチャ酒を穴に注ぎ、最後に穴を埋める。他にも様々なスタイルが存在する）に参加してきた。しかしこの年のアクシデントに大きなショックを受けた私は、地元の高齢者に簡単な手ほどきを受け、自分自身でもパガプーを行うようになった。盗掘者や古代の人々と同じように、神殿遺跡や往時の信仰対象への畏怖を感じたのかもしれない。その後もワカ・パルティィーダ遺跡で各種調査を継続しているが、物理的に用心に用心を重ねているためか、はたまた我がパガプーの効果か、幸いにして何事も起きていない。

名もなき古代墓地遺跡、病気と事故の連鎖

それから何年も経ったある年の夏、発掘資料の整理と分析のためにペルーへ渡航したときのこと。タイトなスケジュールでペルー国内を飛び回ったのでくたびれたが、最後に寄ったネペーニャで少し時間ができた。そこでワカ・パルティーダと同じ時代の遺跡を探しながら、周辺の耕作地帯を歩いてみることにした。このあたりで最も目立つ高さ50メートルほどの白い岩山の周囲を隈なく歩き回り、斜面や頂上に様々な時代の遺構と土器片を確認した。二千年近くに亘って様々な儀礼が執り行われた聖地かもしれない。お目当ての時代の遺構もあったので満足し、登ったのとは反対側から降りてゆく。すると、岩山の裾野部分が砂地になっており、そこにたくさんの盗掘坑が穿《うが》たれていた。荒涼とした景色を見て一目でわかった。古代の墓地である。

アンデス山脈から流れてくる河川は谷を削り出す。谷といっても、ペルーの太平洋側では谷底の幅が数キロにも及ぶ平野であり、灌漑《かんがい》によって広大な緑の耕作地になっている。一方、そのような「河谷」の両岸は、耕作地を越えると乾いた砂埃の舞う白っぽい段丘になり、やがて草一本生えていない岩山の峰々に至る。そのような河岸段丘や谷底にそそり立つ岩山の裾野部分には、しばしば古代の遺跡が眠っている。特に目立つのが墓地である。いや、本来は目立たなかったはずだが、盗掘者たちによって荒らされ、地表が穴だらけになっているから一目瞭然

なのである。盗掘者たちは、割れていない上質の土器や金属製品など、現金化しやすい副葬品は持ち去るが、それ以外は無造作に放置していくのが常である。「それ以外」の中には、あまり見たくないものもある。人骨である。発掘調査の時と違って別に仕事が増えるわけではない。ただ、調査以外で出会う人骨は「死体」を感じさせる。客観的な証拠から生前の生活を推測するのではなく、主観的・直感的にその人の生と死を空想してしまう。それは学問のフィルターを通さないから生々しい。乱暴に掘り起こされ、身ぐるみはがされ、捨てられ、野ざらしになった死体。それが散乱する墓地に足を踏み入れるとなんとも言えない気分になる。子供時代の「ばちあたり」や祟りへの恐れが甦る。

自分が専門としている紀元前の時代の墓地だったら、恐れより考古学者としての好奇心が勝るだろう。興奮して暗くなるまで歩き回るかもしれない。しかし残念ながらそんな墓地はまず見つからない。見つかったら大発見である。荒らされた古代墓地は紀元後の時代のものばかりである。だけど微かな期待を抱きながら地面に落ちている土器片を見てまわる。壁などが露出していたら写真を撮る。どの時代の遺跡だろうが、初めて行ったら何枚も写真を撮る習慣がある。しかし正直なところ墓地の写真は見返したくない。だから記憶に頼って書いているが、この墓地には日干し煉瓦で造られた部屋のような遺構があった。日干し煉瓦の形や、散乱する土器片から推測するに、いまから千年くらい前のものだろうか。その部屋のあたりに頭蓋骨が一つ落ちていた。明らかに小さい。子供だろう。そして……ああもう、頭蓋骨はいろいろと想像が膨らんでしまうから困る。大人になった私は迷信深くないはずだが、いい気持ちがしないので足早に墓地から立ち去った。そうして遺跡巡りを終え、翌日には車で四時間ほどの地方都市へ移動し、そのまま首都リマへ飛んだ。

帰国まで一週間弱あるが、文化省との手続きや、研究の打ち合わせなど、ぎっしり詰まった予定を着実に消化していたある夜、発熱した。最後に某遺跡博物館の記念イベント出席という個人的にも大切な予定が残っていたが、38度台の熱だし頭痛もひどいのでドタキャンせざるを得なかった。くしゃみ鼻水や咳が皆無なのでデング熱を疑った。しかし日本の県立病院並みの医療が期待できると言われる私立の大規模総合病院で受診したところ、違うだろうとのこと。とりあえず解熱剤などを処方され、帰国便に乗ることは良しとされた。米国での乗り換え時間を含めて二十三時間ほどの空の旅である。なんとかかんとか成田に着き、検疫所で自己申告すると、医務室に連れていかれた。しかし血液検査の結果は予想に反してデングでもチクングニアでもなかった。その後、かかりつけの病院でも大規模総合病院でも検査をしたが、炎症反応からみて菌ではなくなんらかのウィルスによるものだろうという漠然とした診断以上のものは得られなかった。困ったのは熱が下がらないことである。解熱剤で37度台に下がるが、効果が切れると38度台に戻る。それがなんと二週間以上続いた。ぼんやりした頭で、長期間の高熱が悪影響を及ぼしうる身体の部位について思いを巡らす。翌年の結婚に向けて話を進め始めたところだったのである。おまけに、少し肘関節あたりが痺れるかなと思っていたら、ある日突然左手の人差し指と親指の第一関節が動かなくなった。大病院の中で整形外科や神経内科をいったりきたりしたが原因がわからないし、治療法もわからない。

発症から一か月ほど経って、指の麻痺以外はようやく落ち着いてきた頃、勤務先の正門の目の前で信号無視の車に轢かれた。救急車で運ばれ諸々の検査を受けると、奇跡的に打撲だけで済んだようだった。しかし青アザだらけになった下半身を鏡で見て、これはもうあかん気休めでもなんでもいいからと思い自宅玄関に塩を盛った。病気と事故が続いたことを、いつの間にかあの古代墓地と結び付けていた。

指の麻痺は大病院でもどうにもならず、インターネットで手神経の専門医を見つけだして受診した。私はペルー考古学者なので、特に専門とする時代の土器片ならば、たいてい掘り出した瞬間に同定できてしまう。エクアドルの土器をみても少しはわかるが、同定の精度は大きく落ちる。だから膝や腰を専門とする医者ではわからないことも、手の専門医ならなんとかなると予想した。手の専門医は研究者肌の名医だった。彼女の予言通り、投薬とリハビリによって指は半年後に動き始めた。ただしいまでも半分くらいしか力が出ない。何年も後、ある分野の専門医になった後輩と雑談する機会があった。私の指の麻痺の件に絡めて、専門分野と診断能力について尋ねたら、やはりそういう傾向はあるらしい。

後日譚

一連の出来事から3年後の夏、私は懲りずにあの一帯でフィールドワークを続けていた。ドローンを使った航空写真測量が主な仕事である（写真11）。調査の成果は上々で、狙っている時代の遺跡を次々と発見し、遺跡分布と周辺地形の関係にも迫ることができた。ところが調査期間の終盤になって、気が緩んだのか現場作業中にドローンのプロペラで手をざっくり切ってしまった。流血を見ていたら過呼吸を起こし、気が遠くなったので共同研究者と助手に車で運ばれた。町の小さな診療所で治療を受けるとすぐに体調は快復した。恥ずかしいやら何やらで、私はへらへら笑いながら共同研究者に話しかけた。

「いやー、さっきのあそこ古代墓地だったよなー、あそこだけなんかいやーな空気あるんだよなー、前にもああいうとこ歩いた後でよくわからん病気になったり車に轢かれたりしたしなー、ははは……」

ここから先は聞いた話である。帰国後のある日、一緒に古代墓地でドローンを飛ばした共同研究者が勤務先の大学で講義をしていると、いつもまじめな女子学生の様子が明らかにおかしい。授業後に彼女は近寄ってきて、共同研究者の顔の少し横あたりに目をやりながら尋ねた。「先生、今年ペルーに行かれましたか?」。調査に行ったことを伝えると、今度は「先生の右肩に、民族衣装を着た外国の人がいて、怖い顔でずっと見ている」。寒くなった共同研究者は、すぐに塩を買って大学の同僚にふりかけてもらったそうである。私はこの後日譚を聞いたことを後悔した。寒気がした。一方その共同研究者は、女子学生が見たという民族衣装をその場でスケッチしてもらえばよかったと後悔した。「だって、我々専門家しか知らないような古代ペルーの衣装デザインを彼女が描いたら面白いじゃないか」とのこと。

なお寒がりはしても我々はまだ懲りていないので、次の調査では私が気を失った古代墓地の近くで発掘しようと考えている。かねてから狙っている紀元前の庶民の居住地らしき遺跡なのである。もちろん発掘前のパガプーは忘れない。ところで、実はこの不思議な出来事の原稿を書いていた２０２１年5月から7月にかけては、コロナ禍で家に引き籠って授業も会議もオンラインだった。通勤時間がなくなった分を執筆に充てられると思いきや、筆がなかなか進まなかった。短い期間にもかかわらず、七、八回も風邪をひいてしまったからである。治ったと思えばすぐまた風邪という感じである。おまけにアラフィフにして喘息のような症状まで出てき

写真11　ドローンで上空から撮影した古代墓地。画面左中央に大小様々な盗掘坑が穿たれている。その下の黒い影はジープで、その先の右下に筆者らがいる◀

てしまった。古代ペルーでも風邪をこじらせることはあったのだろうな……気管支拡張薬もステロイドもないから子供の喘息は命に係わるものだったんだろうな……そういえばあの古代墓地に捨てられていた頭骨はちっちゃかったな……。この本の編集に携わったポプラ社の方々や、これを読む読者の皆様のことも心配になってきた。

1日の発掘スケジュール

ペルー編

6:00 起床。

6:15 朝食（丸いフランスパンやイタリア系チャバッタのサンドイッチ。中身はアボカド、炒り卵、豚の素揚げ、茹でサツマイモなどの日替わりで、トウガラシとレモン汁であえたタマネギが添えられる。シナモンの香るキヌアの甘いおかゆが出ることも。飲み物はパッションフルーツや紫トウモロコシの手作りジュース。コーヒーか紅茶も付く）。

6:45 車に乗って発掘現場へ。
以前は自分で中古車を購入して運転したが、近年は他の調査隊に倣ってトラブル防止のため運転手付きレンタカーを利用。

7:00 点呼。

7:05 発掘作業開始。
①スコップやツルハシで地面を掘る。重機の使用は禁止されており、全て手作業。ひと抱えもある大石がゴロゴロ出てきたらロープを使って大勢で引っ張りあげる。私もときおり加わって腰を痛める。
②コテで地面を削る。石の多い乾燥した砂地だから土層断面を綺麗に整えるのは難しい。
③遺構をコテや刷毛で露わにする。いまから約3000年前の壁画群が眠る神殿である。壁画が見つかると保存修復の専門家が慎重に掘り、考古学者は後方支援にまわる。
④写真を撮る。2000年代前半はデジタルとフィルムを併用。その後はデジタルのみ。
⑤遺構を図面に描いて記録する。発掘区の土層断面図の他、建築や埋葬状態などを平面図、断面図、立面図に記録する。これもデジタル化が進んでいるが、細かいところは依然として手描き。

⑥出土遺物を取りあげる。現地調達した厚手ビニール袋に入れる。日付、遺跡名、発掘区と出土層、遺物の種類などの情報を、日本で購入した防水荷札に記入して袋に付ける。

13:00 点呼。

13:05 車に乗って宿舎へ。

13:30 昼食（前菜はスープ、サラダ、またはジャガイモ料理。メインのお皿には焼き系か煮込み系の肉や魚と白米が載る。煮たマメ類が添えられることも多い。手作りジュースとコーヒーか紅茶）。

昼食後 シャワー（水の出は……）。その後ベッドに倒れ込む誘惑に負ける者は少なくない。私もその一人。

15:30 宿舎で出土遺物の確認・整理・登録。

16:30 自由時間、町への買い出し。

18:00 夕食（品数も量も昼食より少なめ）。

夕食後 宿舎でミーティング、調査日誌、図面・写真・各種データの整理。労務や会計の仕事。

22:00 就寝。

乾燥したペルー海岸地方では、できれば午後は掘りたくない。海からの強風が砂埃を舞い上げ、細かい作業が難しくなるからである。ペルー人は仕事時間をきっちり守るし、だらだら作業する者はいない。ラジオで流行歌を聞きながら、おしゃべりしながら働く者はいるが、元気づけの効果があるから普段は黙認している。一人前の考古学者が掘る機会は少ない。日に数回、ここぞというときに熟練の腕を披露する。通常は、何をどこまで掘るのかベテラン作業員たちに指示したら、写真、測量、遺物記録などでせわしなく動き回る。自分の担当区だけでなく、他の発掘区も見て遺跡全体像の把握に努める。計画を日々修正し、諸々の最適化を図る。かなり頭を使う。日焼け止めを塗って頭脳労働するのが発掘である。

「世界を股にかける考古学者は、きっと面白い話をたくさん持っているはずだ」という単純な思いつきが本書のベースとなっている。単純なものほど多くの人びとの共感を得るのは世の常なのだ。まさにその通りで、初めて編集者の櫻岡美佳さんに本書の企画の内容を聞いた際に「面白い！」「私が読みたい！」と直感したことを思い出す。そしてその場ですぐに五つくらいの話を思いついたのである。自然と溢れてきたのだ。しかし面白い話だけに、果たして活字として書いて良いものかどうかと迷う内容のものもあった。冷静に考えるとお国事情や宗教観、民族問題、あるいは個々人の家庭問題が絡むこともあり、色々と書く段階で躊躇してしまった。面白い話には周りを見渡す慎重さと気配りが必要だ。だがたとえそれらを差し引いたとしても話したいことは山ほどあったのである。私だけかもしれないが……。

さて、本書を最後まで読み終えた親愛なる（そして考古学好きな）読者の皆さんは、どのような感想をお持ちになっただろうか。個人的にもの凄く気になる所だが、少なくともユーラシア大陸、アメリカ大陸、そしてアフリカ大陸の遺跡に日本人の考古学者たちが立ち、そこを探査し、測量し、発掘し、記録してきたことはご理解いただけたであろう。芝田幸一郎先生はペルーで、角道亮介先生は中国で、そして私はエジプト、シリア、イタリアなどで発掘調査を実施してきたのである。楽しいことも多かったであろうが、それと同じくらい危険なこと、苦しいこと、あるいは後悔していることもあったことは想像に難くない。私自身も本書内で書けないことをそれなりの数経験している。世界で発掘調査するとはそういうことでもあるのだ。それほど多くはないが、常に危険と隣り合わせなのである。しかしながら、そこでは日本とは異なる文化、たとえば習俗、宗教、慣習、道徳などに直面し、そしてそれらの中心に存在する人々と関わり合い、それらと彼らを理解し、柔軟に受け入れるという何事にも代えがたい経験を得ることが出来る時間でもあるのだ。そして間違いなくそれらを私は得てきたと言える。

胸を張って言える。

なかでも飲食は基本であろう。現地の人々と同じ空間で現地の食事を共有することほど考古学者たちにとって意義があり、楽しく、重要なことはない。ゆえに本書のなかでもちらほら話題に上るのだ。舌での経験もまた強烈なインパクトを考古学者たちに残してきたということである。最近はそうでもないが、一世代昔の考古学者には飲食に関する猛者が多かった。とにかく現場が終わり、宿舎に戻ると酒を浴びるように飲み、現地のローカルフードを死ぬほど喰らうのだ。考古学者は体力が命だ。六十歳を超えようと七十歳になろうと凄い人がいた。この目で目の当たりにしてきた。私自身がその目撃者であったのだ。そのためさまざまな現場でさまざまな武勇伝が語り継がれているのだ。そのような伝説のなかに我々三人が身を置くにはまだ時間が必要である。大げさに語ればきっと先輩方に叱られてしまうであろう。そう間違いなく。

私が若い頃に海外発掘調査でお世話になった樋口隆康先生も角田文衞先生も数々の伝説を残して冥界へと旅立たれて久しい。我々が研究対象とする遺跡・遺構・遺物は、人間の寿命を遥かに凌駕する時間の積み重ねのなかにある。考古学者たちはただそこを通り過ぎるのみなのだ。しかし、層位の積み重なりが遺跡を生み出すように、考古学者たちのリレーが研究の蓄積を生み出すのも事実だ。それはまさに長年の研究が創り上げた層位なのだ。フリンダーズ・ピートリー（イギリスの考古学者）のバトンを受けた者が、あるいはマックス・マローワン（イギリスの考古学者）のタスキをつないだ者だけが、次世代の考古学者たちの待つ中継地点に向かって走り続ける権利を持っているのである。「継続は力なり」というのが考古学なのだ。私も芝田先生も角道先生もそして世界中の考古学者たちも同じ思いであろう。

近年その思いにプラスアルファされるかのように理系の科学分野からの参入が目立つようになった。衛星を利用した宇宙考古学、非破壊で地下の様子を確認できる地中レーダー探査、ドローンの活用、あるいは三次元デジタル計測機器の発展も目覚ましい。ピラミッドのような巨大な石造建造物を透視するミュオグラフィの活用もさかんだ。これまでは有能な考古学者の経験がものを言う世界であったが、アカデミズムの潮流が生み出す様相は、刻々と日々変化し続けているのだ。我々の想像も及ばない新たな科学技術・技法が考古学の世界に新たな展開をもたらす日は意外と近いのかもしれない。考古学者、歴史学者、人類学者ではなく、物理学者や地震学者、あるいは人工知能（AI）の研究者や脳科学者が考古学者とタッグを組み、古代文明の謎を解き明かす日がやって来るのかもしれない。もしそうであるならば、そこからもまた「怖い話」が生まれるかもしれないなと思う。

まだまだ語り足りない。話し足りない。シリア砂漠で遭遇した大砂嵐の話もサソリに刺された少年の話も宿舎のシャワー室で感電死しそうになった話も今回は頁数の関係で涙を呑んで省略した。30年以上もこの業界にいると楽しい経験のみならず、奇妙な体験、偶然の出来事、そして思いがけず訪れる危険に遭遇するものなのだ。

本書はあらゆる世代の読者を対象として編まれたが、是非小中高の生徒たちにも読んでもらいたいと思う。決して世界経済を立て直す力があるわけでもなく、お金を簡単に生み出すものでもない純粋な学問としての考古学に憧れを抱く若者が増え、考古学者になりたいという夢を持ち、世界で発掘したいという目標を叶えるために、我々三人のもとを訪れてくれることを願っている。私が私の先生たちと出会い、煌めく星々の間を幾つもの大きな流れ星が流れる夜空を眺めながら砂漠の真ん中にある宿舎で酒を飲み語り合ったように……。

そして今夜も考古学者は早く世界に平和が訪れますよう、人々に平穏が戻りますようにと星の見えない東京の夜空を見上げ祈る。

2023年6月15日

大城道則

大《おお》城《しろ》道《みち》則《のり》

専門分野：**考古学・古代エジプト**

1968年兵庫県生まれ。駒澤大学文学部歴史学科教授。博士（文学）。関西大学大学院博士課程修了。バーミンガム大学大学院エジプト学専攻修了。ラジオ番組で菊池桃子さんが「エジプトが好き！」と言ったのでエジプト学者を目指す。古代エジプト研究を主軸に、シリアのパルミラ遺跡とイタリアのポンペイ遺跡の発掘調査にも参加。著書に『神々と人間のエジプト神話――魔法・冒険・復讐の物語』（吉川弘文館）、『異民族ファラオたちの古代エジプト――第三中間期と末期王朝時代』（ミネルヴァ書房）、『古代エジプト人は何を描いたのか――サハラ砂漠の原始絵画と文明の記憶』（教育評論社）など多数。

芝《しば》田《た》幸《こう》一《いち》郎《ろう》

専門分野：**考古学・南米ペルー**

1972年福岡県生まれ。神戸市外国語大学准教授を経て、法政大学経済学部教授。駒澤大学文学部歴史学科考古学専攻卒業。東京大学大学院超域文化科学専攻文化人類学分野博士課程単位取得満期退学。博士（学術）。大学2年次に東大アンデス調査団長の講演を聴いて全身に鳥肌が立ち、ペルー考古学を志す。博士課程在学中に零細発掘プロジェクトを立ち上げ、細々と継続中。趣味と実益を兼ねてラテンアメリカのダンスとペルー料理を嗜む。

角《かく》道《どう》亮《りょう》介《すけ》

専門分野：**考古学・中国殷周時代**

1982年千葉県出身。駒澤大学文学部歴史学科考古学専攻准教授。東京大学大学院人文社会系研究科基礎文化研究専攻博士課程単位取得退学。複雑怪奇な青銅器の造形に魅了され中国考古学を志し、中国北京大学考古文博学院に高級進修生として留学、黄土高原での発掘調査に多数参加している。著書に『西周王朝とその青銅器』（六一書房）など。

考古学者が
発掘調査をしていたら、
怖い目にあった話

2023年7月6日　第1刷発行

著者
大城道則　芝田幸一郎　角道亮介

Special Thanks
太田喜美子

発行者
千葉 均

編集
櫻岡美佳

発行所
株式会社ポプラ社
〒102-8519　東京都千代田区麹町4-2-6
一般書ホームページ　www.webasta.jp

印刷・製本
中央精版印刷株式会社

Printed in Japan
ISBN978-4-591-17203-2
N.D.C. 916 / 247P / 19cm